CW00408544

Antoine Volodine est né en 1949. Il a publié une quinzaine de livres qui fondent le « post-exotisme », univers littéraire parallèle où onirisme, politique et humour du désastre sont le moteur de toute fiction. *Des anges mineurs* (1999) lui ont valu le prix Wepler et le prix du Livre Inter 2000. Après avoir enseigné la littérature russe, qu'il traduit également, il se consacre entièrement à son œuvre. Il a écrit plusieurs textes pour la radio (France Culture) et sa construction romanesque est aujourd'hui riche d'une trentaine de titres. Il vit à Orléans et voyage souvent en Orient (Macao, Hong Kong). En 2014, *Terminus radieux* a reçu le prix Médicis.

Antoine Volodine

# FRÈRES SORCIÈRES

entrevoûtes

ROMAN

*Éditions du Seuil*

TEXTE INTÉGRAL

ISBN 978-2-7578-7869-9
(ISBN 978-2-02-136375-3, 1re publication)

# FAIRE THÉÂTRE OU MOURIR

Je m'appelle Éliane Schubert. J'ignore ma date de naissance, c'est quelque chose que personne ne s'est soucié de m'indiquer, et ensuite il était trop tard pour calculer mon âge, la question était incongrue, la réponse idiote, le fait d'être encore en vie suffisait, on n'en demandait pas plus et ce qui comptait était d'avoir tenu bon un certain nombre d'années sans avoir sombré dans l'abomination ou la folie, ou les deux. Quand j'étais petite, je me disais que j'avais dix ans, je me suis dit ça longtemps, et ensuite j'ai été une jeune fille, à vous d'imaginer un chiffre pour ça, entre quinze et vingt ans, c'est le chiffre qu'on avance en général. C'est resté comme ça un moment, et ensuite les hommes m'ont donné trente-cinq ou trente-huit ans. Les femmes n'avançaient rien de précis à mon sujet, elles devaient penser que j'étais plutôt vieille, comme elles. Plutôt vieille, usée, pas mal conservée quand on songe aux épreuves que nous passions notre temps à traverser. Les dates de naissance, les anniversaires de vie et de mort, nous ne nous occupions jamais de ça. Nous étions déjà bien contentes d'être toujours vivantes.

Pas de considérations pathétiques. Synthétisez pour commencer. Quelques lumières sur votre enfance.

J'ai passé mon enfance sur les routes, avec une troupe de théâtre itinérante. Une femme m'avait prise sous son aile et, pour simplifier, on va dire que c'était ma mère. Ma mère s'adressait à moi de façon normale, je suppose, mais, quand j'essaie de me rappeler sa voix ou des échanges que nous avons eus, la plupart des phrases qui me sonnent en tête sont des citations de pièces qu'elle jouait ou qu'elle avait jouées, ou même des souvenirs de répliques théâtrales que sa propre mère lui avait apprises, car la mère de ma mère avait elle aussi été actrice. Là encore, pour simplifier, on dira qu'il s'agissait de ma grand-mère. Bien que cette grand-mère eût été vivante du temps de ma petite enfance, les images d'elle que ma mémoire a fixées, celles qui resurgissent quand je l'évoque, comme en ce moment, sont toujours défigurées, salies ou amplifiées par des rêves. Elles sont ancrées en moi et parfois elles possèdent une grande netteté, mais le plus souvent elles restent très bizarres, pas floues mais bizarres. Elles s'accompagnent d'une confusion et d'une ambiguïté qui m'empêchent de savoir si elles appartiennent au monde réel ou à des mondes oniriques que je visitais à l'époque, avec mes maigres connaissances et mes maigres repères et ma sensibilité de très petite gamine. Ma grand-mère flotte lentement à côté de moi, elle se penche sur moi et elle profère des slogans étranges. Ma mère aussi parsemait de slogans mystérieux les conseils qu'elle me donnait. Même dans les conversations les plus anodines, les plus triviales. Ces slogans réapparaissaient. Nous en riions, mais pas toujours.

Des exemples de ces slogans étranges.

Oui. Une seconde. Rien ne presse. L'une et l'autre, ma mère Gudrun Schubert et ma grand-mère Wilma Schubert, avaient appartenu à des compagnies dont le répertoire comprenait des saynètes classiques et des fabulettes de boulevard, mais, en plus, rompant avec toute tradition dramatique, une pièce anonyme composée de courtes vociférations, avec des appels au meurtre et des mots d'ordre conçus pour un peuple de fin du monde. Quand je dis un peuple de fin du monde je pense avant tout à un auditoire de chamanes ou d'insectes, principalement femelles et mentalement hors limites. Cet oratorio sans équivalent n'était pas souvent monté par les troupes qui le jugeaient déconcertant pour leur public et difficile à mettre en scène. Ce qui est sûr, c'est qu'il s'agissait d'une œuvre torrentueuse, psychiquement dérangeante, obsédante. Elle laissait des traces chez celles qui s'en emparaient, elle modifiait en profondeur, durablement, le monde intérieur des comédiennes qui y tenaient un rôle.

Que voulez-vous dire par là.

Seules des femmes prenaient la parole dans la pièce. Des démentes, des prostituées, des mortes. Et elles s'exprimaient uniquement au moyen de phrases terriblement brutales et concises, qui sonnaient comme des avertissements, des conseils incompréhensibles et des slogans. Ma grand-mère et ma mère avaient intégré ces slogans à leur personnalité, à leur intimité, à leur existence quotidienne. Comme s'il s'était agi de la chose la plus naturelle du monde, elles les prononçaient en ma présence et elles me les transmettaient. Elles m'ont transmis mille autres choses, bien sûr, mais c'est cela que je me rappelle avant tout quand je pense à elles. C'est cela que je veux retenir avant tout. Quand je faisais ma toilette, j'entendais la voix de ma mère derrière la cloison, sa voix éraillée, ORDONNE TES OS À LA PERFECTION ! ORDONNE TES ORIFICES À LA PERFECTION ! ORDONNE TA FIGURE À LA

PERFECTION ! NETTOIE SUR TOI LES FLAMMES DE L'AUTOMNE, LAVE-TOI ! ORDONNE TES MAINS FROIDES À LA PERFECTION ! SORS DE L'EAU, CHANTE LES CHANTS, LAVE-TOI ! À mon tour je répétais cela en moi-même, ces phrases qui devenaient pour moi familières et essentielles. Plus tard j'ai eu l'occasion de jouer dans cette pièce, les compagnies qui m'avaient acceptée en leur sein renâclaient à la montrer de bout en bout au public, elles préféraient en représenter de courts extraits, et encore, avec des coupures qui réduisaient le rôle des slogans étranges et, à mon avis, appauvrissaient affreusement la narration. Je connais par cœur l'intégralité du texte, et aujourd'hui encore on pourrait me confier n'importe lequel des rôles de femmes, celui des prostituées, je veux dire de l'une des prostituées, ou celui de la narratrice magiquement placée au cœur de l'action, de la narratrice folle, ou celui de la divinité gueuse qui s'efforce d'apaiser la douleur des filles. N'importe quel rôle. Je n'aurais pas de mal à l'interpréter. J'ai en mémoire la quasi-totalité des répliques et toutes les salves de vociférations étranges. Dans l'ordre, dans le désordre, peu importe. Je connais cela depuis mon enfance sur les routes, depuis mon enfance de fille du théâtre.

Quelles routes.

Nous allions de bourgade en bourgade. Abaradzaï, Kroumel. Des lieux perdus de ce genre. Abaradzaï, Kroumel, Gartchavra, Burd-Horgol. Des villes et des villages le long des milliers de kilomètres qui bordent les chaînes du Djadjil ou s'introduisent dans ses contreforts. C'est immense, c'est infini. J'ai retenu ces noms et il est certain que nous y avons fait étape, mais je ne serais pas capable de dire à quel moment de ma vie nous nous sommes arrêtés là, ni le titre des spectacles que nous y avons donnés, ni les conditions dans lesquelles nous y avons été reçus et hébergés. Tout se ressemblait et j'étais petite. Nous errions à travers le Badjistan, le Galdan-har, le Kourghistan. D'autres noms encore, puisque nous en sommes là. Tous aujourd'hui ont des sonorités irréelles ou inventées. Loprong, Hourdane, Tchimra, Tchamgür, Puldud. Des bourgades de montagne, isolées, avec des habitants rares et taciturnes, qui toujours sentaient la laine crasseuse, les moutons, le feu. Les villageois se réunissaient autour de nous, pas un seul ne manquait, même les invalides et les idiots étaient là. Il y avait toujours des idiots. Au-dessus de nous le ciel était très bleu, très brillant. Les nuits étaient étoilées. Souvent, il faisait froid. Je me rappelle ne pas pouvoir dormir à cause du froid. Je partageais la pelisse de ma mère. Elle aussi grelottait. Et ensuite, sans doute, le Mardaghistan, le Khazgamas. Impossible de redessiner nos parcours avec certitude. C'est trop loin et imprécis dans ma mémoire et ça s'alimente aussi d'échos de conversations anciennes où rien n'est sûr. Sur une carte, à supposer qu'on me présente quelque chose comme une carte, à supposer qu'il y ait encore des cartes, je ne pourrais pointer sur rien. On ne m'a transmis aucune culture géographique de ce genre. Nous ne nous orientions jamais en nous reportant à des documents en papier. Jamais ou, en tout cas, sans y attacher d'importance. Nous demandions aux gens une direction et cela suffisait pour définir une nouvelle étape et ne pas s'égarer parmi les cailloux. Il est vraisemblable aussi que, pendant toutes ces années, nous ayons tourné en rond. En faisant de larges boucles, mais, finalement, en rond. Nous évitions autant que possible les zones de guerre, et, même si de temps en temps nous traversions des situations critiques, on peut presque résumer tout cela à une errance routinière. Les chemins qui se succèdent, les routes sans circulation, les paysages parfois désolés, parfois grandioses, parfois d'un ennui à mourir. L'approvisionnement dans des coopératives situées au diable vauvert, ou auprès de camionneurs, de caravanes, ou dans des fermes où parfois on nous accueillait avec des carabines dont le cran de sécurité avait été ôté. La peur d'entrer sans le savoir dans une zone de guerre. L'hébergement précaire, la nourriture monotone, et toute notre énergie offerte maniaquement au théâtre. Je parle pour l'instant de mon enfance mais, au fil des décennies, rien n'a changé pour les troupes itinérantes. Trente ans plus tard, les installations dans lesquelles les représentations avaient lieu étaient plus dégradées qu'au temps de ma mère, les villes avaient subi des dommages supplémentaires, les coupures d'eau et d'électricité étaient plus fréquentes, dans certains districts elles étaient même définitives, mais, au fond, je ne crois pas que nous ayons basculé dans un autre monde. Ça empirait, évidemment. Ça ne pouvait qu'empirer.

La suite de votre parcours de jeunesse.

Les conflits de basse intensité ont dégénéré, les zones de guerre ont gagné des régions qui nous étaient familières. Nous nous sommes déplacés en conséquence. Notre direction principale était l'est, le nord-est. Mais même si ensuite les foyers d'horreur brûlante ont flambé sur tous les continents, même si les surfaces interdites se sont multipliées, à l'époque il y a eu des années où nous pouvions aller de l'avant à notre guise, sans être obligés de consulter anxieusement les bulletins d'information, sans craindre le déchaînement des nettoyages ethniques dans la région où nous devions nous rendre, sans avoir la peur au ventre quand nous approchions d'une frontière ou d'un check-point.

Vous alliez vers l'est ou le nord-est.

Pendant les années soixante, après la mort de ma mère, nous avons profité d'une période de ni paix ni guerre pour traverser plusieurs lignes de front et gagner des terres orientales. C'était le souhait de tous et de toutes et derrière nous, de toute manière, s'étendaient des pays de non-retour. Nous avions entendu dire que, là où nous nous rendions, les combats n'étaient pas très acharnés et que la vie, quoique plus rude, s'y écoulait plus paisiblement. L'état était bureaucratisé et militariste, avec des exigences auxquelles nous n'étions pas habitués mais auxquelles nous nous sommes faits très vite. La surveillance idéologique n'était pas pénible, elle ne contrariait pratiquement jamais nos modes de pensée, nous avions toujours prôné et mené une existence spartiate, fondée sur le partage, l'égalité et l'abnégation. Même si, dans certaines régions, on pouvait rencontrer des bandes armées, les risques étaient moins grands qu'à l'ouest. Socialement, et aussi au niveau linguistique, tout était pareil. Nous ne souffrions pas d'un sentiment d'exil. La nostalgie nous avait toujours été étrangère, dans la mesure où nous avions toujours vécu dans une espèce d'éloignement de tout, si l'on excepte le théâtre.

Abrégez.

Longtemps avant de franchir la frontière de l'Ossorgone, j'avais rejoint une petite troupe, la Compagnie de la Grande-nichée. Elle était animée par un couple, Dora et Sorj Avakoumiane, qui…

À quelle date.

Je ne me rappelle pas. J'étais déjà moins jeune. Dora et Sorj Avakoumiane veillaient à maintenir dans la troupe une atmosphère de solidarité fraternelle et un peu austère, sans doute parce que tous deux avaient connu l'univers des camps et parce qu'après cette expérience ils ne souhaitaient pas gaspiller leur existence en futilités ou en conforts égoïstes. Ils n'avaient aucune complaisance envers qui que ce fût, ils nous traitaient tous à la dure et ne se permettaient aucun écart personnel. Sans croire à rien, en tout cas en persistant dans un discours globalement athée et sceptique, sans croire à rien ils avaient tout de même une vision religieuse de leur présent. Ils nous faisaient pratiquer le théâtre beaucoup plus comme une cérémonie humblement chamanique destinée à reproduire de très vieilles prières intérieures que comme une activité susceptible de nous procurer quelques aumônes. Nous n'avions aucun mal à reprendre à notre compte cette théorie. Je dis théorie mais c'était plutôt une pratique, une attitude face au monde qui nous consolait d'être des miséreux de la parole et du geste, d'être des saltimbanques définitivement touchés par la pouillerie et l'absence d'aisance et l'absence d'avenir.

Nous. Que signifie ce nous.

Selon les aléas de la route, le nombre de nos membres variait, mais, en gros, nous étions toujours au moins six et rarement plus de dix. En majorité des femmes. Le mystère théâtral et la vie ambulante attiraient quelques jeunes écervelées, mais notre existence collective était difficile et il y avait de nombreux départs. Cette instabilité faisait partie de notre groupe, toutefois elle était relative et je n'ai pas l'impression, quand j'y repense, quand je revois défiler toutes ces années, que nous ayons connu une succession de déchirements et de crises. Il ne serait pas faux de dire qu'en dépit de ces fluctuations dans la troupe, nous formions un ensemble solidaire et solide.

Quelques noms.

Je ne tiens pas à établir une liste. J'aurais du mal, et d'ailleurs je n'ai aucune envie de m'interroger là-dessus, à tout exhumer de mes souvenirs pour énumérer les noms de mes camarades hommes et femmes. Si nécessaire, j'évoquerai avec précision telle ou telle figure. Cela, je le ferai. Je vais le faire. Pour le reste, je m'en tiendrai à une peinture à gros traits. Nous ne sommes pas ici pour composer un annuaire exhaustif des histrions ni même un historique détaillé de la Compagnie de la Grande-nichée. Les identités n'ont aucune importance.

C'est vous qui le dites.

En résumé, la Compagnie évoluait entre une demi-douzaine et une douzaine de membres. Sorj Avakoumiane avait autour de cinquante ans. Il ne se sentait pas assez fort physiquement pour nous défendre des agressions extérieures, et c'est pourquoi il avait recruté dans la troupe le militaire qui, dès notre franchissement de la frontière, avait été chargé de nous escorter, et sans doute, au départ, de vérifier que nous n'étions pas des ennemis infiltrés par malignité dans le pays des Douze Ciels Noirs. Cet homme, Julius Bosch, avait une fonction à la fois administrative et, disons, morale. Il représentait les autorités et facilitait notre installation et l'organisation de nos spectacles dans les villes et les villages où nous entrions. En même temps, il veillait à ce que nous ne nous écartions pas de l'orthodoxie politique. Au moment où nous avions pénétré sur le territoire, on nous avait attribué le statut d'unité d'art et de propagande. Cela nous assurait un certain public et une incontestable sécurité partout où nous faisions étape. Nous avions été contraints d'ajouter à notre répertoire de petites saynètes d'agit-prop, démodées et criardes, dont les autorités locales se repaissaient idéologiquement. Cela ne nous dérangeait guère, et, pour tout dire, elles ne présentaient pas de problèmes de mise en scène ou de mémorisation. Nous les considérions comme une taxe de séjour à acquitter aux autorités du pays des Douze Ciels Corbeaux.

Douze Ciels Corbeaux ou Douze Ciels Noirs.

C'est le même mot au Khorogone. On parle indifféremment de corbeau ou de noir.

Poursuivez. Julius Bosch.

En principe il écrivait des rapports sur notre innocuité culturelle, sur notre respect des principes révolutionnaires, et, au besoin, il intervenait avant ou pendant les spectacles pour rectifier les erreurs de jugement que le texte de nos répliques pouvait contenir. C'était un soldat, fidèle au Parti, mais il n'y avait en lui aucune rigidité et il nous a été favorable dès le premier jour. Il éprouvait une sympathie étonnante pour tout ce qui était déclamation, incarnation et jeu théâtral. Rapidement il avait fait corps avec nous. Il envoyait à la branche compétente de l'Organisation des avis positifs et il aplanissait toutes les difficultés logistiques quand nous étions à la recherche d'un emplacement ou d'une salle. Il arrivait que nous atterrissions dans des endroits où l'arrivée de comédiens était vue d'un très mauvais œil. Son autorité de représentant du Parti nous aidait énormément dans ces cas délicats, pas très rares, malheureusement.

Vous dites tantôt le Parti, tantôt l'Organisation. Qu'en est-il.

C'est le même mot au Khorogone. Julius Bosch ne nous embêtait pas avec son appartenance partidaire. Il se comportait en camarade et sa présence n'a pas été un poids, au contraire. Sa présence apaisait les angoisses de Dora et Sorj qui avaient souvent des doutes sur notre avenir au Khorogone. Sa présence. J'en parle comme d'une personne extérieure alors que nous l'avons presque immédiatement adopté comme un élément indispensable à l'existence de la Compagnie de la Grande-nichée. Il nous protégeait avec ses connaissances du pays, avec son mandat qui était l'équivalent d'un mandat de commissaire politique, je suppose, et il nous protégeait aussi avec le pistolet qu'il avait toujours à la ceinture, du moins quand il n'était pas avec nous sur scène. Son recrutement en tant que membre de la troupe à part entière, et donc comme administrateur et comédien, s'est fait de façon naturelle. Nous approchions des plateaux du Djildjik. C'était une ligne invisible, au-delà de laquelle le Commissariat du peuple à la propagande n'exerçait pratiquement plus son autorité. Au lieu de nous quitter en nous souhaitant bonne chance ou de nous dissuader d'aller plus loin, Bosch est resté avec nous. Je ne sais pas s'il risquait grand-chose par rapport à sa hiérarchie, à cette époque au Khorogone le pouvoir comme ailleurs se délitait, mais, si on regarde les choses en face, il désertait. Sa liaison avec Maria Crow, la belle et acrobatique Maria Crow, avait certainement pesé dans la balance, mais sa décision de nous accompagner était aussi justifiée par son amour pour le théâtre tel que nous le pratiquions et le vivions. Il avait adhéré à la conception monacale et quasi magique qui gouvernait notre manière d'apparaître dans le monde, déguisés et proférateurs. Et aussi il s'était mis à partager notre rapport fusionnel à la terre, au ciel, aux damnés et aux gueux, les gueux en général mais bien sûr ceux qui assistaient à nos représentations. Il était resté avec nous avec son arme, ses quelques inutiles accréditations, et surtout avec son énergie, sa bonne volonté et son affection pour nous tous et nous toutes.

Son arme.

Je ne m'y connais pas. Un pistolet noir. Je l'ai entendu parler une fois d'un Makarov. Je suis comédienne, pas militaire.

Quelques indications supplémentaires sur ce Julius Bosch et sur sa petite amie Maria Crow.

Julius Bosch avait cette tête sévère et rude de Sibérien surgi du goulag que les cinéastes soviétiques du XX$^{e}$ siècle affectionnaient, une gueule puissante qui posait instantanément sur l'écran l'abnégation, le désespoir intérieur et le rêve. Une gueule de stalker. Pour nous, pour la Compagnie de la Grande-nichée, il avait le physique idéal pour les emplois de mendiant, de vagabond héroïque, de chamane ou de paranoïaque taciturne. Toutes les filles dès son apparition, y compris Dora Avakoumiane, y compris moi, sont tombées amoureuses de lui, mais seule Maria Crow a formé avec lui un couple durable. Maria Crow nous avait rejoints à Öddöl, donc au moins deux ans avant que nous entrions au Khorogone. Öddöl ou Tholtög, je ne peux pas affirmer l'endroit exact. Je ne me rappelle pas. Elle était très belle, très brune, et beaucoup plus douée en gymnastique qu'en mémorisation de textes. Sorj lui confiait de préférence des animations de cirque destinées à attirer l'assistance à l'intérieur des salles quand nous nous produisions dans des salles, ou autour des tréteaux quand nous jouions à l'extérieur. J'aimais énormément Maria Crow et, lorsque nous partagions la même paillasse, avant que Julius Bosch la prenne pour compagne, je lui apprenais quelques salves de ces slogans qui avaient hanté ma mère et ma grand-mère et qui restaient en moi comme si chaque jour, plusieurs fois par jour, elles me les rappelaient ou me les murmuraient à l'oreille. Je ne sais pas pourquoi, alors que Maria Crow avait tant de mal à retenir les répliques que Sorj Avakoumiane lui demandait de prononcer sur scène, sa mémoire en revanche enregistrait avec une extraordinaire fluidité toutes mes vociférations étranges.

Étranges. Mais surtout politiques. Des vociférations politiques.

Non. Des vociférations venues d'ailleurs, hurlées ou chuchotées par des femmes, par des créatures féminines, en tout cas, et destinées à des femmes en partance pour on ne sait quelle guerre radicale, en tout cas pour l'ailleurs, pour la mort et pour l'enfer. AVANCE JUSQU'AU SEIZIÈME SANGLOT ! AVANCE AVEC OU SANS LES MAINS RIDÉES ! PEU IMPORTENT LES RIDES SUR TES ÉPAULES, PEU IMPORTENT LES RIDES SUR TES CHEVEUX, AVANCE ! AVEC FRACAS AVANCE JUSQU'AU SANGLOT NUMBER SEIZE ! AVANCE SANS LES ÉPAULES ! AVEC FRACAS AVANCE SANS LE CŒUR QUI BAT ! ATTEINS LE SEIZIÈME SANGLOT ET ÉTEINS-LE ! QUELLE QUE SOIT L'HEURE, NE REGARDE PAS BIELA FREEK ! DEVIENS BIELA FREEK ! Des slogans de cette espèce. Selon le public ou les circonstances et selon le moment de la pièce, ils pouvaient être rauqués, sifflés de manière à peine audible ou hurlés à pleins poumons. Quand nous étions couchées l'une à côté de l'autre, Maria Crow les chuchotait. Je l'ai déjà fait remarquer, elle n'éprouvait aucune difficulté pour les mémoriser. Elle se les appropriait immédiatement. Il suffisait que je les récite une seule fois pour qu'ils soient gravés en elle sans la moindre hésitation, sans la moindre faute. C'était une transmission professionnelle, avec pour objectif un jour ou l'autre de les dire avec elle devant un public, mais, en même temps, je les lui confiais comme un trésor secret, comme un cadeau précieux qui était tout pour moi, et elle m'avait promis d'en prendre soin jusqu'à la fin de ses jours. Je me rappelle qu'elle me disait : Jusqu'à la fin de nos jours.

Vos conditions de travail.

Nous tenions, avec le matériel et nos affaires personnelles, dans deux minibus. Comme il n'y avait pas assez de place à l'intérieur des véhicules pour qu'ils servent de dortoirs, nous avions avec nous de quoi camper à l'extérieur, ce qui arrivait souvent quand nous nous déplacions sur de longues distances. Nous préférions ces bivouacs en liberté à l'installation dans des villages qui parfois étaient trop minuscules, trop peu peuplés pour que nous y organisions un spectacle, et où, même si on nous accordait un gîte, on se méfiait de nous. On se méfiait de nous parce que nous étions des gens qui se livraient à une activité inouïe et incompréhensible, mais aussi parce que, dans certaines vallées isolées, l'autorité dont Julius Bosch se prévalait était à peine reconnue. Les habitations étaient noires et inquiétantes, pleines d'animaux maigres et agressifs et, quand il pleuvait, il y avait de la boue partout. La question de l'hébergement était un problème auquel nous étions confrontés quotidiennement, aussi nous appréciions les étapes qui nous permettaient de nous installer au même endroit pendant plusieurs jours ou même deux ou trois semaines quand les agglomérations étaient plus importantes. Notre logement dépendait de l'intervention de Bosch auprès des responsables locaux. Sorj Avakoumiane se reposait entièrement sur Bosch pendant les premières années de notre séjour au Khorogone, et il avait raison, mais peu à peu les structures locales de la propagande n'ont plus eu beaucoup d'influence et, de nouveau, à chaque entrée dans une ville, Sorj a dû parlementer avec des bureaucrates et des petits chefaillons, d'ailleurs pas toujours hostiles, pour obtenir un lieu de représentation, des conditions d'accueil décentes, une prise en charge de quelques repas et autres détails pratiques.

Julius Bosch l'appuyait, mais il ne se réclamait même plus de l'Organisation. Au fil des années, l'Organisation dans les villes que nous visitions se réduisait à quelques individus désabusés et sans pouvoir, qui constataient avec fatalisme le délabrement généralisé, l'effondrement des valeurs révolutionnaires, l'attirance pour la violence individuelle et pour les solutions de désespoir comme l'exil ou la collaboration avec des bandits.

Vous avez donc fini par retrouver au Khorogone ce que vous aviez voulu fuir.

Oui. Nous étions loin de la capitale, et nous pouvions faire semblant de ne pas voir que tout allait mal. Mais tout allait de plus en plus mal. Le chaos était en marche sur l'ensemble du monde et, même si au Khorogone il était arrivé avec retard, maintenant il était là. Je dis maintenant, mais c'est très imprécis. Je n'ai aucun calendrier en tête, nous vivions au jour le jour et nous avons vécu au jour le jour pendant un nombre d'années que je ne peux pas chiffrer. La chute de la capitale et la fin du Khorogone conseilliste correspondent à des dates précises, mais pour moi il s'agit seulement de journées et de nuits de rumeurs et d'angoisse, perdues au milieu d'autres souvenirs confus.

Vous aviez commencé à parler de vos conditions de travail.

Nos bivouacs étaient de toute sorte et, quand nous nous installions dans des agglomérations importantes, ils étaient marqués par l'état de destruction plus ou moins avancé des réseaux tels que celui de l'eau courante ou celui de l'électricité. Il nous arrivait d'être accueillis dans d'anciens dortoirs scolaires ou militaires, et même dans des hôtels désaffectés, mais, la plupart du temps, nous devions accepter de dormir dans des locaux improbables et sales, dans des ruines ou des taudis, ou encore nous partagions des sous-sols avec des réfugiés et des personnes déplacées. Nous nous faisions à tout. Nous étions depuis toujours habitués à la modestie et au sordide.

Comment pouviez-vous tenir.

L'économie de la Compagnie de la Grande-nichée était rudimentaire. Sorj Avakoumiane se désolait de ne pas avoir de trésor de guerre et il consacrait la totalité de l'argent de la troupe à acheter de la nourriture et du carburant pour les minibus. Il nous manquait toujours de quoi améliorer l'ordinaire. Au niveau budgétaire, nous n'avions aucune marge de manœuvre, aucune réserve. Pour survivre, il nous fallait jouer en face d'un public, amener un public devant nous et répondre de notre mieux à son attente, c'était aussi simple et brutal que cela. Chaque représentation nous valait de tenir un, deux ou trois jours. Certaines municipalités nous versaient une petite somme quand elles avaient été sensibles aux arguments idéologiques de Bosch, mais c'était exceptionnel. Toutefois ce côté mercenaire de notre activité ne nous empêchait pas de travailler en toute conscience, de jouer comme Dora et Sorj le préconisaient : en renonçant à tout, en faisant une croix sur notre misérable ego, en oubliant notre corps et en oubliant notre âme pour devenir des golems porteurs de parole. Quelle que soit la gravité du texte que nous interprétions, Dora et Sorj nous demandaient de chercher avec nos voix à établir un contact sorcier avec les origines préhistoriques du théâtre, avec son tout début sorcier, primitif, chamanique, et nous y parvenions, je crois. Sur scène, chaque soir, tout le monde intervenait. Dora et Sorj Avakoumiane. Julius Bosch. Maria Crow, qui maintenant de plus en plus souvent ponctuait ses acrobaties de courtes et violentes salves de vociférations étranges. Katia Armagadian. Yassiliya Gavrakis, Dream Gavrakis, Lola Lifschitz, Oudliya Gam.

Ah, maintenant vous donnez des noms. Tout à l'heure vous prétendiez que les identités n'avaient aucune importance.

Les identités n'ont aucune importance, et d'ailleurs une partie de celles que je livre ici sont fausses. Mais sous cette forme elles m'aident à revoir les visages. Dream Gavrakis, la petite sœur de Yassiliya, qui aimait jouer des rôles de garçons. Liouba Odlodienko, qu'un jour nous avons retrouvée pendue dans un garage voisin du théâtre, et qui sans doute avait subi des sévices. Et quelques figures masculines. Meenik Dadjamal, qui avait été éduqué chez les bonzes et qui avait une tête de bonze. John Gul, lui aussi élevé chez les bonzes, mais qui avait une tête de bandit et qui savait se battre à mains nues bien mieux que Julius Bosch. Massoud Drandz, un autre bagarreur, qui a voulu pister les violeurs et les assassins de Liouba Odlodienko, et qui a disparu sans revenir vers nous et sans laisser de traces. Et d'autres, selon les moments de notre aventure. Et moi, Éliane Schubert.

Votre répertoire. Sans que ça devienne une liste fastidieuse.

Nous ne voulions pas nous encroûter en reprenant toujours les mêmes pièces. Notre répertoire variait, il allait des farces du Moyen Âge européen aux saynètes d'agit-prop, en passant par des comédies prolétariennes ou des comédies dramatiques des années vingt ou trente. Nous représentions aussi les féeries les plus délirantes de Iakoub Khadjbakiro ou de Petra Kim. Parfois, sur mon insistance et sur mes indications, et parce que nous en étions tous amoureux, nous reprenions le fameux cantopéra qui m'avait été transmis par ma mère Gudrun

Schubert et ma grand-mère Wilma Schubert. Maria Crow et moi nous nous déchaînions plus que les autres, mais le public n'accrochait pas. Il n'avait pas la patience d'écouter cela jusqu'au bout, et, si nous persistions, les rangs se clairsemaient. Sorj estimait qu'il était inutile de sacrifier nos nerfs et nos cordes vocales pour un résultat aussi misérable. Il veillait, évidemment, à notre réputation et au remplissage de la salle pour la séance suivante. Nous avions nos rôles préférés, et certains nous convenaient mieux que d'autres, mais nous avions adopté un système de roulement pour lutter contre la monotonie et nous changions fréquemment d'emploi. Les hommes évitaient les rôles féminins, les femmes s'incarnaient facilement dans des personnages d'hommes.

Le public.

Le public évoluait, comme le reste du monde. Il a évolué. Je ne vais pas faire une étude sociologique. Je ne vais pas comparer les publics que j'ai connus dans mon enfance à ceux qui nous ont écoutés plus tard. Au Khorogone, vers la fin, le public était composé de gens assommés par les conséquences de la guerre, des gens appauvris, assombris par la dureté du quotidien. Des gens réduits à rien. Notre théâtre s'adaptait sans mal à leurs ruminations pas toujours verbalisées, le plus souvent nous mettions en gestes et en paroles ce qui fermentait dans leur inconscient. Ils avaient compris, comme nous tous, que l'histoire humaine avait basculé dans un chaos sans retour, et ils trouvaient dans nos spectacles quelque chose qui les distrayait, et, en même temps, quelque chose qui allait bien au-delà de la distraction. Notre public n'avait aucun mal à entrer en sympathie avec les déguenillés et les mendiants couverts de honte et de terre que nous faisions bouger sur les tréteaux. Ils se reconnaissaient dans les insanes, les putains et les morts-vivants bavards ou taciturnes qui gesticulaient, dansaient devant eux, et qui essayaient de braver le destin en lançant aux Douze Ciels Corbeaux ou au Parti des discours insolents. Ils riaient avec nous quand nous riions, ils avaient des fous rires, certains soirs l'assistance était excitée et bruyante et nous faisions en sorte qu'elle le soit, mais, le plus souvent, les gens étaient abattus, très sombres. Et puis, quand nous reprenions notre cantopéra et ses vociférations étranges, les gens ne réagissaient plus comme avant. Ils avaient soif de déclamations violentes et l'idée de tout brûler de façon suicidaire ne leur était plus du tout étrangère. Ils accueillaient nos slogans comme s'il s'agissait des échos d'une cérémonie magique à laquelle ils participaient en profondeur.

Et le public de fins lettrés ou des descendants de la bourgeoisie ou des anciennes classes possédantes. Il y en avait au Khorogone. Quelques-uns s'étaient prolétarisés et avaient rejoint le Parti, mais avaient une culture de théâtre. Votre expérience au contact de ceux-là.

Nous n'avons jamais rencontré les fins lettrés, les aristocrates du théâtre, les camarades bien habillés, les professeurs. Depuis le temps que je vous en parle vous auriez dû comprendre que nous vivions dans le monde du vagabondage, loin des circuits officiels ou de ce qu'il en restait. La Compagnie de la Grande-nichée n'était pas une troupe des grandes avenues, c'était une troupe des petites routes. Nous intervenions dans des univers pratiquement clos sur eux-mêmes, refermés sur le morne malheur du quotidien, dans des petites villes et des villages baignés d'obscurité physique et d'obscurité intellectuelle. Le manque d'électricité, l'usure des matériels et l'absence de techniciens qualifiés avaient définitivement éliminé la télévision et les communications électroniques. Quant au cinéma, qui avait été tué par celles-ci un siècle plus tôt, il n'en avait pas profité pour renaître de ses cendres. Là où nous allions, le théâtre était une des rares formes d'art qui continuaient à vivre envers et contre tous. Les sections locales de la propagande ne cachaient pas leur irritation en face de cette persistance anormale, mais elles conservaient à l'esprit quelques bribes qui les obligeaient à nous soutenir en tant que valeur culturelle à l'agonie. Notre choix de saynètes du Moyen Âge ou de sketches d'agit-prop, par quoi nous ouvrions toujours nos spectacles, correspondait à la régression du goût de l'époque, et, de toute façon, à une méconnaissance abyssale des classiques, qui nous touchait tous. Dora et Sorj étaient moins incultes, et moi-même, qui venais d'une famille de comédiennes, j'avais en tête quelques titres de pièces qui sans doute, mais je ne sais où et jouées par qui, devaient encore faire les délices des fins lettrés, s'il y en avait encore quelque part. Mais les nouveaux venus dans la Compagnie, et bien entendu le public, faisaient preuve d'une ignorance tout à fait conforme au climat intellectuel qui avait commencé à régner sur le monde, et pas seulement au Khorogone. Je fais partie de cette génération et je ne cherche pas à me considérer comme une créature à part, mais au moins j'avais conscience que l'histoire de la culture s'était déchirée et qu'ensuite, ensuite, il n'y aurait rien. Pour nous tous, pour Dora et Sorj, il était de notre devoir de derniers humains de maintenir quelque chose grâce au théâtre.

Inutile de prendre un ton apocalyptique.

Notre répertoire s'est réduit. Pour plaire au public, nous devions pendant les trois quarts du spectacle représenter des farces simples, quitte ensuite à montrer des pièces où nous pouvions laisser libre cours à la parole magique, à la beauté et au rêve. Les petites comédies dramatiques étaient désormais exclues. Nous comptions sur les vieilles pulsions ancestrales, sur les sursauts de l'inconscient collectif plutôt que sur le besoin de divertissement que de toute manière les spectateurs n'avaient plus. Cela dit, quand nous allions bien au-delà du cadre de la propagande, nous ne trahissions jamais l'idéologie du Parti, même si le Parti avait fini de se dissoudre autour de nous.

Vous en parlez avec nostalgie. Du Parti, pas de sa dissolution.

Je l'ai déjà dit, nous étions en harmonie avec les principes spartiates du Khorogone, avec la politique des Douze Ciels Corbeaux. Avec la conception de l'humanité présente et future que défendait l'Organisation. Nous n'avions jamais connu autre chose. Même du temps de ma mère et de ma grand-mère, alors que j'errais avec elles loin du Khorogone, je n'avais jamais connu autre chose.

Puis il y a eu l'épisode de Kirdrik.

Les villes se succédaient, les villages de montagne, les bourgs isolés. La capitale était tombée depuis deux ans. Nous avions dépassé les dunes de Djarat et nous parcourions une région tout à fait neuve pour nous, une région de vallées et de hauts plateaux, le long de la chaîne des Gajakörs. Baraltchi, Guiyül, Karozad et d'autres. En me concentrant, je suppose que je parviendrais à me rappeler une douzaine de lieux et donc de séances. Tchordjok, Bürghöd. Et puis, en effet, il y a eu Kirdrik.

L'épisode, mais on pourrait dire l'horreur de Kirdrik.

Nous sommes arrivés à Kirdrik par la route de Galamash. Entre Bürghöd et Galamash, et plus loin Göleph, il y a Kirdrik, entourée de rocailles désertiques et de très petits lacs à la couleur émeraude soufrée absolument extraordinaire. Comme toujours avant de nous engager sur un territoire inconnu, Sorj s'était renseigné et on lui avait assuré que la route de Galamash était sûre. Des bandes armées s'étaient formées autour de Göleph mais, d'après les informateurs de Sorj et d'après les renseignements que Julius Bosch avait obtenus d'un commissaire à présent clandestin, dernier résidu de l'Organisation qui végétait dans un obscur bureau de Bürghöd, la route que nous allions emprunter était sûre. D'après les informations les plus récentes, les bandes écumaient le pays beaucoup plus au nord. Nous n'avions donc là-dessus aucune inquiétude et, alors qu'au milieu de l'après-midi nous nous étions arrêtés pour admirer de près un des lacs émeraude, nous avons eu le cœur brusquement glacé quand nous avons vu une dizaine de cavaliers encercler nos minibus puis s'approcher de la rive sur laquelle nous étions rassemblés. Les montagnes à quelques kilomètres de là étaient pelées, coupantes et grises, le ciel était d'un azur intense, la route ressemblait à un vieux ruban noirâtre, négligeable dans l'univers écrasé de beauté et de silence. Nous étions debout sur les galets blancs, nous nous étions retournés pour regarder les cavaliers issus de nulle part, armés et serrés dans des manteaux à la dominante rousse, mais, finalement, nous nous trouvions au centre d'un univers blanc et noir, avec dans notre dos une surface d'un vert irréel.

Pas trop de descriptions inutiles. Pas besoin de cette palette de couleurs. Seulement les faits.

Nous étions figés au bord du lac et nous avions peur. L'air sentait le silex, les herbes mouillées. Puis les cavaliers se sont approchés de nous et nous avons senti les odeurs des chevaux.

Seulement les faits.

Au cours des heures qui ont suivi, il y a eu plusieurs moments de conflit de plus en plus horribles. Deux des bandits s'étaient emparés de nos véhicules et étaient partis en direction de Kirdrik. Notre troupe a été invitée à parcourir à pied, sous bonne garde, les derniers kilomètres qui nous séparaient de la ville. Nous étions en colère, nous ne marchions pas tête basse et, de temps en temps, le ton montait. Les bandits riaient brièvement entre eux et bousculaient avec leurs montures ceux ou celles qui se plaignaient et leur criaient dessus. Ils étaient brutaux, effrayants, et ils ne s'adressaient à nous que de façon élémentaire. Ils se comportaient avec nous comme si nous étions du bétail inoffensif. Nous avions fait état de notre statut de comédiens itinérants et, après nous avoir volé nos minibus et alors qu'ils auraient pu nous abandonner en rase campagne ou nous tuer, ils avaient décidé de nous conduire à leur camp de base, c'est-à-dire à Kirdrik dont ils avaient pris le contrôle. Ils comptaient peut-être sur nous pour les divertir, eux et leurs compagnons d'armes, ou peut-être que, malgré tout, ils avaient senti flotter autour de nous une aura religieuse qui les intriguait, ou les contrariait dans leurs intentions criminelles. En dépit de cette ébauche de respect que nous leur inspirions, nous étions pour eux des individus insignifiants, et ils n'avaient même pas entrepris de nous fouiller pour vérifier que nous ne transportions pas sur nous de quoi leur tenir tête. Je pense à des couteaux, par exemple, ou des pistolets. Julius Bosch, de toute manière, avait laissé son Makarov au milieu de ses affaires, dans le sac qui contenait ses nippes de scène et son linge de rechange. Je suppose que s'il avait porté son pistolet à la ceinture au moment où les bandits avaient surgi, il ne s'en serait pas servi. Au départ, quand nous étions à côté du petit lac émeraude, nous ignorions quelles étaient leurs intentions. Je ne vois pas Julius Bosch tirer sur des inconnus sans avoir d'abord essayé de discuter avec eux. Julius Bosch était un soldat, pas un cow-boy. Je suppose qu'il se serait laissé désarmer, quitte à le regretter par la suite. Mais bref. Alors qu'il venait de me chuchoter que l'unique arme que possédait la troupe se trouvait au fond d'un sac où, espérait-il, les bandits ne mettraient pas leurs sales mains, un cavalier a trotté vers nous pour nous séparer. Il a donné un coup de pied dans l'épaule de Julius Bosch. Bosch a hurlé une protestation et s'est accroché à la jambe qui l'avait frappé, par rage plutôt que pour tenter de désarçonner le cavalier. Or celui-ci, qui s'estimait agressé, s'est vivement désharnaché de la carabine qu'il portait en bandoulière et en a abattu la crosse sur la tête de Julius Bosch. Notre camarade s'est effondré, le crâne fendu. Il ne s'est pas affaissé, il est tombé en avant sans faire un pas de plus, sans tendre les bras pour amortir sa chute. J'ai entendu les os de sa figure éclater contre l'asphalte. À cette seconde précise, il n'y avait plus aucun mouvement ni aucun bruit nulle part. Le convoi s'était instantanément pétrifié, c'était comme si tout le monde avait été frappé par la foudre. Même les chevaux ne bougeaient plus, la marche s'était interrompue, les sabots semblaient suspendus, comme incapables de reprendre contact avec le sol. C'étaient de belles bêtes, nettement plus hautes que les petits chevaux mongols à moitié sauvages qu'on croisait parfois dans la région. Des bêtes qui sentaient fort la sueur animale et la poussière, les couvertures poussiéreuses, terreuses, les cuirs trempés d'écume. Indépendamment de la place que chacun occupait dans la file, je crois que tout le monde avait entendu comme moi les cartilages et les pommettes de Bosch s'écraser sur la route. Aussitôt et sans faire de commentaires, tous les membres de la Compagnie de la Grande-nichée ont entouré Julius Bosch qui gisait sans connaissance.

Vous n'étiez pas ligotés ou entravés.

Les bandits nous faisaient marcher en troupeau dispersé. Quand Julius Bosch est tombé nous avons reformé un groupe compact. Dora Avakoumiane était celle qui parmi nous avait le plus de compétence médicale. Elle a écarté Maria Crow qui avait commencé à empoigner Julius Bosch pour le retourner sur le dos. Il y avait du sang sur l'asphalte autour de la tête du blessé, et la flaque grossissait, mais ce qui impressionnait en premier lieu était son crâne ouvert, avec au-delà de la peau déchirée une crevasse remplie d'une matière rose qui devait être de la cervelle ensanglantée. À proximité, le cavalier qui avait fracassé la tête de Julius Bosch se tenait bien en selle, avec un visage renfrogné. Les autres allaient et venaient près de nous, sans nous bousculer mais en nous frôlant. Nous avions dans le cou l'haleine chaude des bêtes et parfois leur bave. En prenant de multiples précautions, Dora a déplacé la tête de Bosch, tandis que Sorj faisait basculer le corps sur une épaule, puis sur le dos, ce que Maria Crow avait essayé de faire de façon plus maladroite et vaine. Les yeux de Julius Bosch étaient à demi ouverts et vitreux. Nous ne disions rien, nous attendions l'avis de Dora. Nous n'attachions plus la moindre importance aux bandits et aux boucles que leurs chevaux puants traçaient autour de nous. Dora nous a demandé des morceaux de tissu et, pendant plusieurs minutes, elle a tamponné le sang qui gouttait ou jaillissait selon l'endroit où étaient situées les blessures. Nous lui présentions des morceaux de sous-vêtements, une écharpe, ce que nous pensions être le plus approprié et le moins sale. La fracture du crâne saignait très peu, contrairement aux plaies du visage qui étaient sans doute moins graves. Sous la nuque de Bosch, l'un de nous avait glissé sa veste pliée en quatre. Dora s'efforçait de détourner les paquets rouge vif qui s'accumulaient sans cesse dans la bouche, le nez et les yeux du blessé. Des bulles s'étaient formées autour de ses lèvres et, toutes les dix ou quinze secondes environ, il avait un souffle plus fort et crachait en direction de Dora une brume vermillon. Je ne sais combien de temps cela a duré. Puis les mains de Dora n'ont pu cacher leur tremblement, des larmes ont coulé sur les joues de Dora, et, très doucement, elle a laissé la tête de Julius Bosch se détendre vers l'arrière. Elle s'est relevée et nous avons tous été plus accablés encore. Nous ne prononcions pas une syllabe, nous regardions Julius Bosch qui, sans gémir ni râler, continuait à émettre de minuscules nuages de sang. Ensuite, Dora a rompu notre cercle et elle est allée parler à celui qui semblait être le chef de groupe. Je l'ai accompagnée, il y avait aussi avec nous Lola Lifschitz qui de temps en temps se recroquevillait, comme si elle avait des crampes dans le ventre ou voulait vomir. Le chef de groupe montait un cheval gris foncé, avec une crinière argentée. Il avait une casquette d'officier luisante de sébum et d'usure. Il a fait un geste pour signifier à Dora qu'il l'écoutait. Dora lui a dit que le blessé était intransportable, en tout cas à cheval, et que sa seule chance de survie était d'être conduit dans un des minibus jusqu'à un centre de soins de Kirdrik. Il fallait que quelqu'un file au galop vers Kirdrik et fasse revenir un des minibus.

Quelques indications sur cet officier.

Sous la casquette d'officier il y avait une tête impassible, d'un brun tirant sur le jaune, avec des traces de barbe, des sourcils très noirs, une bouche cruelle et des yeux marron clair, perçants, d'une intensité magnifique.

J'ai su plus tard que cet homme occupait au sein de la bande une fonction équivalente à celle d'un général et qu'il s'appelait Baïarov. Je dis général pour simplifier, en réalité il n'y avait aucun grade distinct parmi les hors-la-loi, seulement une répartition naturelle de l'autorité, et, dans cette pyramide naturelle et collectivement assumée, il occupait le sommet. Baïarov nous a annoncé qu'il n'y avait plus d'hôpital à Kirdrik ni même de poste de secours digne de ce nom, que les minibus ne reviendraient pas prendre le blessé et que nous avions déjà perdu trop de temps avec cette histoire. Il s'adressait exclusivement à Dora, Lola Lifschitz et moi ne comptions pas plus que si nous avions été des mouches. Dora lui a demandé un bidon pour prendre de l'eau dans le lac et elle a proposé de rester à côté du blessé avec deux ou trois personnes de la Compagnie, tandis que les autres atteindraient Kirdrik, se procureraient des pansements et des antidouleurs et les rapporteraient ici au plus vite. Baïarov a réfléchi sans desserrer les lèvres pendant une quinzaine de secondes. Nous étions toutes trois suspendues à sa décision. Puis il a fait démarrer son joli cheval gris, il l'a dirigé vers Julius Bosch, il s'est arrêté au-dessus du corps et, sans ordonner à quiconque de s'écarter, il a tiré deux balles dans la poitrine de Bosch. Julius Bosch a eu un sursaut et il est mort.

Ensuite.

Je me rappelle Maria Crow comme s'il n'y avait qu'elle dans l'image. Elle avait la bouche ouverte, les muscles de son visage s'étaient contractés et, si elle paraissait être en train de pousser un terrible hurlement, elle ne criait pas. Aucun son ne sortait de sa poitrine. Puis entre nous est passé un ressac silencieux de haine envers les assassins, de peur intense et d'accablement fataliste. Très vite ensuite les bandits nous ont malmenés. Ils nous regroupaient en nous tapant dessus à coups de bottes et de crosses, en nous menaçant avec leurs chevaux, et c'est sans doute cet accablement qui nous a conduits à reprendre notre marche, à nous éloigner du cadavre de Bosch, à abandonner Julius Bosch à sa mort et à obéir à nos ravisseurs. Cet accablement sans espoir, oui, plus que leurs coups qui étaient relativement mesurés, proches de ce qu'on inflige à du bétail pour le remettre sur le chemin quand il s'en est écarté. À présent ils nous obligeaient à avancer sans plus supporter de notre part une quelconque manifestation de résistance. Ces manifestations ne se produisaient pas, il faut l'avouer. Peut-être que chacun et chacune de nous craignait de subir le sort de Julius Bosch. Peut-être que l'assassinat d'un seul élément d'un groupe suffit à dompter la totalité du groupe, à en annuler la force collective originelle, à décomposer le groupe pour n'en faire qu'un agrégat misérable de petites individualités lâches et apeurées.

Assez de spéculations sur la nature humaine en général. Elles ne mènent à rien.

Très peu d'entre nous se sont retournés pour voir diminuer, dans la distance, sur le goudron, le cadavre de Julius Bosch. Nous étions occupés à regarder nos pieds sur la route, à respirer les odeurs d'écurie, à éviter la pression sur nous des chevaux et des bottes des cavaliers, qui de temps en temps, pour montrer qu'ils ne plaisantaient pas, nous cognaient le dos à coups de crosse de fusil. Nous ruminions sur notre destin, sur la vanité de l'existence, sur notre mort, sur les heures et les jours à venir. Jusque-là, nos ravisseurs n'avaient pas eu d'attitude spécialement agressive à l'égard des femmes, nous n'avions pas surpris chez eux de sous-entendus graveleux ou de rires lubriques. Mais nous savions maintenant qu'il s'agissait de criminels capables de tout, et nous étions tourmentées par l'insupportable perspective d'un viol, ou d'un possible long esclavage sexuel. Je dis nous en établissant une différence entre les peurs que les femmes du groupe pouvaient ressentir et celles qui hantaient les hommes, mais je suppose que nos angoisses étaient très voisines. Nous n'échangions plus aucune parole et presque aucun regard, nous étions tous enfermés en nous-mêmes, nous nous déplacions comme des automates honteux et sans force. La Compagnie de la Grande-nichée était en route pour Kirdrik et elle n'avait plus d'avenir. Elle comptait un mort, condamné à des funérailles célestes, c'est-à-dire à être déchiqueté jusqu'aux os par les vautours, et neuf membres, soit six femmes et trois hommes. Les femmes en plus de moi : Dora Avakoumiane, Maria Crow, Lola Lifschitz, Yassiliya Gavrakis, Dream Gavrakis. Et les trois hommes : Sorj Avakoumiane, Sadyr Dalabaïev et Michka Rodko.

Votre arrivée à Kirdrik. Inutile de remuer des évidences sur vos angoisses.

Kirdrik était sous la domination des bandits. C'est une bourgade qui devait compter trois mille habitants, assez éloignée d'autres centres urbains pour vivre à peu près en autarcie, avec un pouvoir local sans initiative et une section du Parti en déconfiture totale. Or, depuis une semaine, toute l'autorité avait été remise entre les mains des cent cinquante ou deux cents bandits bien organisés qui obéissaient, à l'époque, à une espèce de triumvirat composé de Baïarov et de deux autres commandants : Souleïmane Gesualdo et Alexis Blitz. La présence de la horde avait vidé les rues et certainement avait assombri l'atmosphère, mais pour nous, qui étions prisonniers, ces changements dans la ville ne signifiaient rien. Notre petit troupeau a été parqué sous un préau d'école, dans un endroit où bivouaquaient une trentaine de cavaliers avec leurs bêtes. On nous a désigné un coin, nous n'avions aucune instruction sinon celle de nous asseoir contre le mur et de rester tranquilles. Le crépuscule s'annonçait, la température avait baissé, l'air était lourd d'odeurs d'écurie. Au-delà des murs, on entendait des passages de chevaux, des claquements de sabots, mais les bruits de voix étaient plutôt rares. Nous pouvions nous servir des cabinets qui se trouvaient non loin de nous, sous le préau également. Les portes étaient déglinguées et ne fermaient pas, les abords des trous étaient souillés, mais on aurait pu imaginer pire. Nos ravisseurs nous avaient plantés là et ils nous surveillaient de loin, collectivement, en tout cas nous ne voyions pas tourner autour de nous des sentinelles prêtes à nous tirer dessus sous le premier prétexte venu. Je suppose que des hommes n'auraient pas tardé à intervenir, et sans prendre de gants, si nous avions montré l'intention de nous rebeller ou d'essayer de fuir. Mais nous étions trop abattus pour penser à nous échapper, et conscients, de toute façon, que nous n'avions aucune chance de le faire. Alors nous ne bougions pas.

Vous n'êtes pas restés totalement passifs.

Sorj Avakoumiane et Michka Rodko chuchotaient quelque chose à propos du sac de Julius Bosch, de son pistolet et des minibus que nous n'avions pas repérés quand nous étions entrés dans la ville et ensuite quand nous avions pris le chemin de l'école. Puis la nuit est tombée. Des groupes de bandits se sont succédé sous le préau, ils s'approchaient de nous pour nous examiner avec curiosité, ils échangeaient des commentaires, des plaisanteries, et ils riaient entre eux comme si nous avions quelque chose d'amusant, ou comme si ce qu'ils se promettaient de faire avec nous les réjouissait. Nous avons su plus tard qu'à eux s'étaient mêlés les deux commandants Gesualdo et Blitz. Pour cette raison, à mon avis, et parce que les commandants avaient déjà statué sur notre sort, les remarques prononcées devant nous, et qui étaient parfois riches en obscénités, concernaient plus le monde du théâtre, avec ce qu'il charriait de mystère, que ce qui nous attendait comme captifs et surtout en tant que femmes captives. Dans la cour, les lumières étaient faibles, mais sous le préau, au-dessus de nos têtes, deux lampes brillaient, de sorte que nous avions devant nous un mur de nuit, d'où surgissaient de temps à autre ces visiteurs patibulaires qui ne nous agressaient encore pas, qui ne cherchaient pas à entamer avec nous quelque espèce de dialogue que ce soit, mais qui ne se gênaient pas pour nous faire comprendre qu'ils étaient nos maîtres. Des habits volés, des chapeaux de cuir, des cabans, des casquettes de l'armée du Khorogone prises sur des cadavres, des armes en bandoulière, parfois des coupe-coupe ou des sabres, des têtes édentées, farouches, des chevaux à la crinière bien peignée sans cesse apparaissaient et disparaissaient devant nous. De crainte de nous singulariser, nous ne dirigions aucun regard franc vers ceux qui nous désignaient, se moquaient de nous ou s'adressaient à nous en sachant qu'ils n'obtiendraient pas de réponse. Nous étions fatigués et nous avions compris que nous nous tenions en lisière de la mort. À tout moment, comme tout à l'heure le général Baïarov, l'un de nos interlocuteurs pouvait brandir un pistolet et abattre l'un d'entre nous ou l'une d'entre nous. Je n'oublie pas, évidemment, qu'il y avait quelques figures féminines parmi les bandits. Ces femmes avaient des traits durs et elles étaient en majorité hommasses, mais deux ou trois possédaient de jolis visages, d'après Yassiliya Gavrakis qui murmurait à côté de moi entre ses dents, sans bouger les lèvres et en faisant semblant de somnoler. Je ne sais pourquoi, la présence de ces femmes me rassurait au lieu de m'inquiéter. J'avais l'impression que le monde des bandits répondait à une certaine normalité, puisqu'il admettait en son sein des soldates, des combattantes ayant droit à l'existence autrement que comme putains ou gibier sexuel. Après une heure ou deux, et alors que la nuit s'avançait et que nous n'attendions rien, une grosse quinquagénaire à cheveux gras est venue sous le préau avec une panière d'où elle a sorti pour chacun de nous quelque chose qui était intermédiaire entre une crêpe et du pain. Nous avons été capables d'identifier cela comme une variante de la galette montagnarde de la région de Göleph, très étouffante mais permettant de tenir pendant des jours. Une fois la distribution terminée, la plantureuse boulangère nous a tourné le dos et a replongé dans la nuit. Elle ne faisait pas partie de la horde, il s'agissait d'une habitante de Kirdrik qui, bon gré mal gré, préparait de la nourriture pour les bandits et leur obéissait. Des ordres avaient donc été donnés pour que notre petit groupe de prisonniers et de prisonnières soit alimenté. Nous ignorions tout du sort qui nous était réservé et nous redoutions le pire, mais ce repas semblait suggérer que, dans un premier temps, nous allions rester en vie.

La nuit. Comment vous avez passé la nuit. Cette nuit-là.

Pendant la nuit, Michka Rodko s'est évadé. Son intention était de repérer l'endroit où les minibus avaient été garés, et, si les affaires de Julius Bosch étaient toujours à l'intérieur, de s'emparer du pistolet et des cartouches qui allaient avec. Il avait prévu de s'en servir ensuite pour menacer les gardiens, nous escorter jusqu'aux minibus, nous faire monter dedans et ficher le camp. Le plan avait été discuté avec Sorj Avakoumiane. Il était ambitieux et naïf et il reposait sur deux points totalement improbables : un, le fait que Michka Rodko retrouverait nos véhicules et, d'autre part, la passivité des bandits. Sorj estimait que ces hommes n'avaient rien à faire d'une troupe de théâtre, qu'ils se désintéresseraient de nous, qu'ils se déplaçaient à cheval et que les minibus ne leur convenaient pas, et qu'en résumé ils nous laisseraient partir sans nous poursuivre. Ils nous laisseraient partir en tant que groupe bizarre et ingérable. C'était un raisonnement comme un autre. En réalité, comme souvent quand on raisonne sous la pression de l'urgence et de la peur, il ne tenait pas debout. Les bandits avaient déjà pris des décisions nous concernant et il n'entrait pas dans leurs plans de nous libérer. Ils avaient déjà montré qu'ils n'aimaient pas qu'on leur résiste et que tuer l'un des nôtres ne leur faisait ni chaud ni froid.

Michka Rodko.

Au petit matin, Michka Rodko n'était pas revenu. Sorj pendant la nuit nous avait mis au courant, il nous avait décrit le déroulement de l'expédition avec un optimisme forcé, mais je pense qu'il croyait sincèrement qu'avec de la chance nous serions hors de Kirdrik dès le lever du jour. Dans la cour et dans la ville, le calme régnait. Les bandits ne nous dérangeaient pas pour aller se soulager dans les toilettes du préau, ils avaient accès à d'autres latrines à l'intérieur de l'école et nous n'étions pas sans cesse réveillés par leurs allées et venues. De toute manière, nous n'avons dormi que par à-coups. Nous ne cessions de revoir l'assassinat de Julius Bosch et nous imaginions Michka Rodko en train de se faufiler dans les rues inconnues de Kirdrik, cherchant la silhouette de nos minibus submergés sous la nuit, échappant aux regards des veilleurs, s'efforçant de ne pas faire hennir les chevaux sur son passage. Puis l'aube s'est glissée sous le préau. Nous avions des yeux rétrécis d'insomniaques et nous échangions des regards désolés. Michka Rodko ne pouvait plus compter sur l'obscurité pour nous rejoindre. Nous l'avons encore attendu, l'angoisse au cœur, jusqu'à ce que le soleil levant fasse son apparition au-dessus des toits de l'école. À partir de là, nous avons élaboré quelques scénarios possibles. Michka Rodko était peut-être tapi dans une bonne cachette, dans une maison vide ou une soupente, et nous allions le retrouver dans une quinzaine d'heures, quand le ciel de nouveau serait très noir. Comme Maria Crow, il avait des talents de gymnaste, et nous aimions l'idée qu'il s'était dissimulé dans un recoin inaccessible, après une escalade délicate et des prouesses d'équilibre. Nous nous le représentions roulé en boule et immobile derrière des planches, peut-être tout à fait à proximité de l'école, guettant à travers une fente ou, pourquoi pas, dormant du sommeil du juste puisqu'il n'avait rien de spécial à faire avant le soir. Nous éprouvions une tendresse particulière pour Michka Rodko qui était doux, conciliant et doué d'un merveilleux sens de l'humour. Autant le dire tout de suite, nous n'avons plus jamais eu de nouvelles de lui, et très vite l'image de lui qui se formait en nous s'est confondue avec celle de Julius Bosch. Nous avons commencé à penser à lui comme à un disparu et comme à un mort. Puis même cette image s'est brouillée, l'idée de penser aux morts a perdu de son acuité, car chacun et chacune d'entre nous a été confronté à l'urgence de sa propre survie.

Votre situation a empiré.

Oui, notre existence sous la garde des bandits est devenue difficile dès ce matin-là. Après quelques jours de pillage, de viols et d'exécutions arbitraires, la horde s'était lassée de la charge trop complexe que constituait pour elle l'occupation d'une ville, même si Kirdrik n'était rien de plus qu'une grosse bourgade. Les bandits s'étaient emparés de quelques objets précieux et de bijoux, ils avaient recruté deux ou trois dizaines de têtes brûlées, mais l'exercice du pouvoir les intéressait moins que la vie sans contrainte, la vie sans responsabilités administratives d'aucune sorte, la vie rythmée par des cavalcades dans des espaces sans fin. Ils avaient détruit à Kirdrik toute représentation régionale ou locale des Douze Ciels Noirs, au nom de confus principes libertaires ils avaient coupé les carotides de tous les responsables de l'Organisation que des habitants lèche-bottes leur avaient désignés, en oubliant les mêmes principes libertaires ils avaient contraint une bonne centaine de jeunes filles et de jeunes femmes à assouvir leur soif barbare de sexe, ils avaient cassé une trentaine de crânes, incendié des commerces, les bureaux de la propagande, quelques édifices publics. Ils avaient exécuté la poignée de soldats et les jeunes qui s'étaient opposés à eux, puis, pendant une semaine, ils avaient joui de leur position de maîtres des lieux. Seulement, déjà, la situation ne les amusait plus et ils se languissaient de désert, de ciel immense et d'aventures. La matinée avait à peine débuté et tout indiquait qu'ils se préparaient à lever le camp. Dans la cour de l'école ils s'interpellaient joyeusement, ils s'occupaient de leurs chevaux comme avant un départ, un chariot avait été amené et ils y entassaient des provisions et des bagages. De l'autre côté des murs, dans toute la ville, on devinait la rumeur d'une excitation générale. Vers dix heures du matin, un de nos minibus est entré dans la cour, conduit par Baïarov, l'homme qui avait tiré sur Julius Bosch. Sur le siège avant à côté de lui se tenait Souleïmane Gesualdo, un des commandants. Les deux hommes sont descendus, ont claqué les portières et se sont dirigés vers nous. Ils étaient escortés par quatre brutes qui nous ont immédiatement obligés à nous lever, car nous étions restés prostrés contre le mur. Sur l'indication de Gesualdo, les brutes nous ont séparés en deux groupes, les hommes d'un côté, les six femmes de l'autre. Puis ils ont commencé à pousser les hommes, Sorj Avakoumiane et Sadyr Dalabaïev, vers la cour. Sorj et Sadyr résistaient, ils traînaient les pieds, et, de notre côté, nous avons protesté et tenté de nous rapprocher d'eux. Rien n'était clair, personne ne pouvait savoir quel était l'objectif des bandits, mais nous sentions d'instinct que cette séparation nous promettait à tous quelque chose de lugubre. Nous sentions qu'il fallait s'y opposer à tout prix. D'autres brutes ont abandonné les chevaux dont ils s'occupaient au fond de la cour et sont arrivées. Sorj et Sadyr ont été ceinturés et menacés avec des couteaux. Baïarov lâchait des indications brèves et cinglantes. Plusieurs sous-fifres de Baïarov nous ont tirées vers l'arrière pour nous ramener sous le préau. Ils nous tordaient les bras, ils nous saisissaient les cheveux au niveau de la nuque, ils nous tapaient dessus. C'était la première fois que nous étions victimes d'une telle violence. Nous ne cessions pas de nous débattre en criant, puis Gesualdo est intervenu, a giflé Lola Lifschitz avec force, si fort qu'elle a été déséquilibrée et s'est retrouvée par terre. Souleïmane Gesualdo était un bandit à l'apparence lourde, massive. Nous avons cessé de gesticuler et de hurler. Lola Lifschitz avait du sang sur les lèvres. Elle se relevait. Un des hommes de Gesualdo lui a arraché le foulard qu'elle portait autour du cou, lui a étiré les bras en arrière et lui a noué les poignets en l'insultant. C'était plus symbolique qu'autre chose, mais c'était un avertissement pour nous toutes. Ni Gesualdo, ni Baïarov, ni les autres ne s'adressaient à nous pour nous inciter à nous calmer ou nous annoncer ce qui nous attendait. Ce qu'ils avaient prévu pour nous. Ils se contentaient de grommeler des menaces et de nous malmener. Ils nous ont bousculées jusqu'à ce que nous soyons toutes dos au mur et silencieuses. L'idée d'un dialogue entre nous, pour l'instant, était morte. Nous regardions nos geôliers fixement, avec une rage qui bouillotait à l'arrière-plan, car, au premier plan, nous étions toutes écrasées par une sorte de stupeur. Je parle pour moi mais je pense que toutes les femmes du groupe étaient accablées par le même sentiment d'absence et de défaite. Toutefois, nous n'étions pas toutes vaincues de la même manière. Lola Lifschitz s'est tortillée pour se défaire de ses liens et elle a réussi à se libérer au bout de quelques secondes. Avec Maria Crow, elle était la plus souple de la Compagnie, et très habile de ses mains, car elle avait été voleuse avant de nous rejoindre. Elle a remis le foulard autour de son cou. C'était une attitude tout à fait méprisante à l'égard de ceux qui nous avaient brutalisées, et encore plus à l'égard de celui qui l'avait ligotée, mais elle n'est pas allée plus loin dans la provocation et, comme épuisée soudain, elle est venue se coller contre moi. Je lui ai serré les épaules, puis nous nous sommes de nouveau appuyées contre le mur.

Trop de détails. Lola Lifschitz et la suite.

Lola Lifschitz avait été voleuse dans son existence antérieure. Je n'en sais rien de plus. Elle nous avait rejoints à Dirblim et elle avait aussitôt fait preuve de talents d'acrobate, quoique moins spectaculaires que ceux de Maria Crow, et de comédienne. Elle était brune, avec des cheveux lisses, couleur aile de corbeau, qu'elle nous demandait de couper souvent, ce que nous regrettions, car elle aurait pu laisser pousser sa crinière magnifique. Elle avait eu pour amant un comédien de la troupe, Saber Altman, et, quand celui-ci nous a quittés, elle a après quelques semaines déclaré qu'au fond elle préférait les femmes, et nous nous attendions à ce qu'elle séduise l'une d'entre nous, par exemple Dream Gavrakis, celle qui dans la troupe était la plus fraîche et la plus pulpeuse, mais en fait elle est restée chaste, comme une veuve scrupuleusement fidèle à son bien-aimé. Chastes, nous l'étions un peu toutes, d'ailleurs, si on excepte celles qui avaient formé un couple stable, Maria Crow avec Julius Bosch et Dora avec Sorj Avakoumiane.

Assez sur Lola Lifschitz. La suite.

On avait l'impression que beaucoup de temps s'était écoulé et pourtant cette bagarre n'avait pas duré plus de deux minutes. Nos deux groupes étaient encore peu éloignés l'un de l'autre et, pendant un instant, comme le calme était revenu et que tout le monde avait l'air figé, dans l'expectative, Dora Avakoumiane a demandé à Souleïmane Gesualdo ce qu'il comptait faire avec les hommes et avec nous. Gesualdo a haussé les épaules puis il a fait un signe. Les bandits ont emmené Sorj Avakoumiane et Sadyr Dalabaïev, ils les menaçaient à présent avec leurs couteaux et une espèce de coupe-coupe plus large qu'un sabre. Ils leur ont fait traverser la cour et ils sont entrés avec eux dans une des salles de classe de l'école. En même temps, ils ont voulu que nous les suivions jusqu'au minibus. Sans nous être donné le mot, nous avons feint une grande difficulté à marcher, comme si nos jambes engourdies nous empêchaient d'avancer, puis, de manière tout à fait inattendue, Maria Crow a commencé à lancer à mi-voix, comme destinés uniquement à nous, des slogans étranges.

Ces slogans.

Je ne me rappelle pas. Par exemple : RÉFRÈNE EN TOI LE SANGLOT NUMBER DIX-SEPT ! PETITE SŒUR, OUBLIE EN TOI LES DIX-SEPT SANGLOTS ! EN CAS DE MALHEUR, OUVRE TA GOURDE LACRYMALE ET ATTENDS LA SUITE ! SI LE MALHEUR SURVIENT, N'AGONISE QU'À BON ESCIENT ! MARCHE À PAS MENUS VERS L'AMIE ÉVANOUIE ! SOLIDIFIE TA MAIN GAUCHE, SOLIDIFIE TES PROPRES OS ! MARCHE VERS L'AMIE ÉVANOUIE ET N'AGONISE PAS ! RAMASSE TES OMBRES, MARCHE À PAS MENUS ET N'AGONISE PAS !

La suite.

Et, tandis que nous paraissions incapables de mettre un pied devant l'autre, tantôt l'une, tantôt l'autre d'entre nous avons murmuré de brèves salves de sanglots. Les bandits autour de nous étaient soudain très mal à l'aise, ils avaient l'impression que nous prononcions des malédictions qui risquaient de les foudroyer à la seconde suivante, des paroles sorcières extrêmement dangereuses et efficaces. Nous vociférions entre nous, sans les regarder et comme en dehors du monde. Ils nous entouraient et ils nous écoutaient. Puis nous avons entendu des cris dans la salle de classe où étaient entrés Sorj Avakoumiane et Sadyr Dalabaïev et une détonation, et nous avons cessé d'émettre des paroles sorcières. Elles nous avaient donné un peu de courage mais, par rapport à notre situation immédiate, elles ne servaient à rien.

Ce qui s'est passé dans la salle de classe.

Nous n'avons jamais pu savoir ce qui s'était passé dans la salle de classe. Personne n'en est sorti. Nous regardions dans cette direction alors qu'on nous obligeait à monter dans le minibus. La porte de la classe était entrouverte, mais on ne voyait rien de spécial, comme si la classe était vide et sans histoire. Nous n'avons jamais revu Sorj Avakoumiane et Sadyr Dalabaïev. Jamais plus. De la Compagnie de la Grande-nichée, brusquement, dans cette cour éclairée par le soleil du matin, il ne restait plus que six femmes.

Ces femmes.

Dora Avakoumiane, Lola Lifschitz, Maria Crow, Yassiliya Gavrakis, Dream Gavrakis et moi-même Éliane Schubert. Je l'ai déjà dit, je ne connais pas ma date de naissance ni celle des autres. Mais, en gros, des femmes jeunes, mûres pour certaines comme Yassiliya Gavrakis ou Dora Avakoumiane, ou comme moi, peut-être, qui ne me sentais ni jeune ni vieille. Toutes pouvaient être servies en pâture à des violeurs, cela, nous le savions, et à aucun moment nous n'oubliions cette peur, alors que la peur d'être assassinées ne nous visitait pas en permanence. Maria Crow, Lola Lifschitz et Dream Gavrakis étaient belles, je veux dire qu'elles ne ressemblaient pas à des créatures merveilleuses de conte de fées, mais qu'elles avaient une personnalité attirante et un beau visage, un visage frappant, avec un corps normal de femmes également attirantes. Je reviens sur le déroulement de cette scène. Pendant un temps, nous avons vociféré à mi-voix, l'une après l'autre ou parfois, comme dans la pièce, en superposant nos salves bizarres, et nos geôliers ont été tétanisés, puis, à notre tour, nous avons été tétanisées par l'horreur de ce qui devait se produire dans la salle de classe, sans doute l'exécution de nos camarades, et nous nous sommes tues. Puis les bandits nous ont poussées en direction du minibus et nous ont obligées à monter dedans. Un type nerveux s'est assis à côté de nous, à l'arrière, au milieu de nos affaires de théâtre, des éléments démontables de décor, des rouleaux de toile peinte, quelques valises et plusieurs sacs. J'ai immédiatement cherché du regard le sac de Julius Bosch, qui avait été l'objectif de l'expédition de Michka Rodko puisqu'il contenait un pistolet et des cartouches. Le sac était là, il ne donnait pas l'impression d'avoir été fouillé. L'idée d'avoir un Makarov à notre portée m'a redonné un peu d'espoir. Pas tout de suite, dans un entourage fourmillant de bandits, mais plus tard, sur la route si nous quittions la ville, le pistolet nous aiderait peut-être à nous en sortir, ou, du moins, à entraîner dans notre mort quelques-unes des crapules qui nous avaient capturées. J'ai échangé à ce sujet un regard lourd de signification avec Dream Gavrakis, qui était presque adossée au sac providentiel. Elle a reculé la tête pour toucher le sac avec sa nuque. Elle avait parfaitement compris ce que je lui disais sans un mot. Peut-être sentait-elle contre son cou, à travers la toile, la forme dure, mystérieuse et rassurante, du Makarov. À ce moment, trois bandits ont pris place sur les sièges avant et ont fait démarrer le moteur. Je me suis demandé s'ils avaient pris la précaution de remplir le réservoir et les jerricans qui étaient attachés sur le toit. Sorj Avakoumiane était toujours soucieux quand il était question du carburant dont nous avions besoin. Il en parlait avec nous et nous avait prévenus que, si nous ne trouvions pas d'essence à Kirdrik, nous resterions bloqués dans la ville. La camionnette a manœuvré dans la cour de l'école, lentement à cause des chevaux, et peut-être aussi parce que le conducteur, un type en manteau de mouton, n'était pas un expert en marche arrière. Je parle de son manteau de mouton mais beaucoup de bandits avaient cette tenue, quand ils n'avaient pas des capotes militaires ou des fourrures volées on ne sait où, ce qui donnait à leur bande une dégaine montagnarde, effrontée, anarchiste et impitoyable. Nous roulions à présent au pas le long des rues de Kirdrik, croisant ou dépassant les bandits avec leurs montures excitées, puant le troupeau et la sauvagerie.

Assez de notations subjectives et assez d'adjectifs. Des faits. Où alliez-vous et pourquoi.

L'autre minibus était invisible, je suppose que les bandits ne tenaient pas à s'encombrer de ce genre de véhicule qui les obligerait à se préoccuper sans cesse d'approvisionnement en carburant. Nous avons attendu à la sortie de Kirdrik que la caravane soit formée, et ensuite, à petite vitesse, nous avons précédé le gros de la troupe et même son avant-garde. Nous avons pris une route asphaltée qui se dirigeait vers une chaîne de montagnes. À gauche, à droite, tout était rocailleux. De temps en temps nous longions de petits lacs, comme avant notre arrivée à Kirdrik, puis le relief a changé assez vite, et les lacs ont disparu. Assises à l'arrière de la camionnette, non sur des sièges mais au milieu des ballots de vêtements de scène et des accessoires, nous n'étions pas d'humeur à admirer le paysage. Nous savions que nous allions vers le pire et chacune de nous ruminait en silence sur la catastrophe qui avait frappé la Compagnie et nous avait à jamais séparées des hommes de la Compagnie. Maria Crow et Dora Avakoumiane ne dissimulaient pas leur peine, mais ni l'une ni l'autre n'avait les joues humides de larmes. Bien entendu, nous pensions aussi à une manière de nous échapper, une quelconque manière. Couvertes par le bruit du moteur, nous aurions pu murmurer entre nous sans attirer l'attention de nos ravisseurs, élaborer un plan d'évasion, mais parmi nous était installé un type au silence menaçant, qui nous surveillait. Même si parfois il traversait des minutes de somnolence, nous restions muettes. De temps en temps, j'échangeais un regard avec Dream Gavrakis. Elle savait contre quoi elle était adossée. Elle n'entreprenait rien et, de toute façon, je suppose qu'elle comprenait que se saisir d'une arme, peut-être pas chargée, ne nous conduirait à rien, ne la conduirait à rien.

Vous rouliez tandis que les bandits allaient à cheval.

Nous roulions à petite allure, le conducteur tenait à ne pas se couper du cortège qui avait quitté Kirdrik. Parfois nous prenions un ou deux kilomètres d'avance et le minibus stoppait. Sur les sièges avant, les trois brutes se retournaient à la fois pour voir s'approcher l'avant-garde à cheval que nous avions distancée, et notre petit groupe éparpillé dans le bric-à-brac du théâtre. Ils nous observaient avec des mines d'autant plus repoussantes que, parfois, ils souriaient. Nous étions persuadées qu'à un moment ou à un autre ils essaieraient de nous violer et qu'ils y parviendraient. Quand nous étions de nouveau entourés par les chevaux et par les cavaliers qui jetaient des coups d'œil égrillards par les petites fenêtres, se penchaient en quittant presque leur selle et lançaient dans une langue que je ne connaissais pas des commentaires destinés à ceux qui les suivaient et, aussitôt, s'esclaffaient, quand le cortège nous avait nettement rattrapés, le conducteur redémarrait et reprenait, lentement, la direction des montagnes. Ce manège s'est poursuivi jusqu'au milieu de la matinée ou de la journée, je ne sais plus. Nous ne portions pas de montres, dans la Compagnie seul Sorj Avakoumiane possédait un chronomètre, nous avions pris depuis des années l'habitude de ne plus diviser le temps d'une manière rigoureuse et nous comptions sur notre instinct et sur l'observation du ciel et du monde autour de nous plus que sur des appareils, mais là, ce jour-là, à l'intérieur de ce véhicule, après cette suite de morts horribles et avec la présence d'assassins et de violeurs qui nous gardiennaient, j'avais perdu mes repères. Vers le milieu de la matinée ou de la journée, donc, notre minibus a pris une avance considérable. Le revêtement de la route était plutôt bon, le conducteur devait apprécier la vitesse et il arrivait qu'il accélère nettement, pas jusqu'à forcer le moteur mais nettement. Et, tout à coup, le moteur a toussé et s'est éteint. J'ai repensé à ce qu'avait dit Sorj à propos du carburant avant Kirdrik. Il n'y avait plus d'essence. Le conducteur s'est acharné deux minutes sur le démarreur et, furieux, il a énoncé à l'attention de ses camarades que nous étions en panne, pour de bon et sans solution immédiate.

Ces hommes étaient au nombre de quatre.

Le conducteur est descendu, il a vérifié que les jerricans placés sur le toit étaient vides, puis tout le monde est descendu sur la route. Nous aussi. Un minibus au milieu d'un paysage rude mais admirable.

Vous dites tantôt minibus, tantôt camionnette.

C'est le même mot dans plusieurs langues, dont la mienne.

Reprenez.

Un minibus au milieu d'un paysage rude mais admirable, des montagnes pelées, une végétation rase, brunâtre, grise, avec de nombreuses nuances d'ocre brun, d'ocre jaune sombre. Des étendues de caillasse à la place d'anciens lacs, des taches scintillantes çà et là, du sel, des graviers, la route déserte qui finissait à l'horizon par serpenter, et, derrière nous, personne sur une distance impressionnante, pas trace de la horde à cheval. Et, là-dessus, un ciel d'azur intense, sans un nuage, éblouissant, et le bruit du vent dans les hautes couches, le léger sifflement électrique du monde des hauteurs.

Inutile de renforcer ainsi les images. Vous étiez au centre d'un paysage désertique. Un véhicule en panne, quatre bandits et vous.

Quatre bandits et nous six.

Et alors.

Les bandits se sont concertés. Pour notre part, nous nous sommes rapprochées l'une de l'autre sans rien dire. Nous nous trouvions totalement entre les mains de ces hommes, nous n'avions aucun objectif en vue. Courir vers nulle part étant exclu, nous éparpiller dans les cailloux et les restes de plaques de sel étant exclu, nous restions immobiles et accablées, proches mais sans nous toucher ou nous étreindre, peut-être parce que des mouvements de ce genre auraient attiré l'attention hostile de nos gardiens. Une minute ainsi s'est écoulée, une deuxième. Puis les bandits sont venus à nous, nous ont repoussées à une trentaine de mètres de la route tandis que l'un d'eux empoignait Dream Gavrakis et l'entraînait en direction du minibus. Nous avons protesté, Yassiliya Gavrakis, la grande sœur de Dream, s'est mise à pousser un hurlement strident, Dream Gavrakis s'est débattue et a insulté celui qui lui tordait le bras et la poussait vers la porte arrière du minibus. L'homme était grand, massif, drapé dans une pelisse de mouton qui le rendait plus impressionnant encore, et il a sans trop d'effort obligé Dream à monter dans le véhicule, il l'a projetée à l'intérieur. Nous avions toutes en tête les images épouvantables d'un viol, nous nous représentions le crime qui serait commis au milieu des sacs et des cartons, dans la brutalité de ce décor confus, dans l'espace désordonné de la camionnette et de son chargement. Nous imaginions les contorsions de Dream sous l'agression du barbare, ses phrases de malédiction, son désespoir, sa souffrance, son dégoût, sa honte. La porte du minibus s'est refermée et nous nous sommes tues, maintenues à l'écart par les bandits qui nous bousculaient avec les crosses de leurs carabines ou qui nous repoussaient à coups de poing. Eux ne regardaient pas le minibus, mais nous, si. Nous avions le regard rivé sur cette porte qui venait de se refermer et que nous avions associée jusque-là, pendant des années, à des souvenirs de théâtre. À des souvenirs de liberté et de travail. Yassiliya Gavrakis ne hurlait plus, elle pleurait sans bruit. Elle n'était pas la seule. Nous avions toutes des larmes sur les joues. Une demi-minute s'est écoulée, puis une détonation a retenti à l'intérieur de la camionnette. Les bandits qui nous entouraient ont cessé de s'intéresser à nous et se sont retournés vers l'endroit d'où était parti le tir. Le minibus ne livrait aucun renseignement. Il était comme vide et anodin au bord de la route. Pendant plusieurs secondes, personne n'a pris d'initiative. On entendait les couches d'air glisser très haut dans le ciel au-dessus de nous. Ensuite la porte arrière s'est ouverte et Dream Gavrakis est sortie, elle a vacillé sur la route puis elle est restée debout, sans bouger, les bras ballants. Elle n'avait plus sur elle la veste qu'elle portait un peu plus tôt. Elle avait refermé la main droite sur le Makarov qui pendait, le canon dirigé vers le sol. Elle n'avait pas l'air vraiment dangereuse, mais comme elle était armée nos gardiens l'ont mise en joue et se sont approchés d'elle à pas prudents. À un moment, il y a eu un bruit à l'intérieur du minibus, quelque chose comme un frottement, peut-être que le violeur avait seulement été blessé, peut-être qu'il tentait de se relever ou de s'emparer de la carabine qu'il avait dû poser sur les sacs avant de commencer à agresser Dream Gavrakis. Dream a orienté la tête vers l'origine du bruit, vers le violeur, puis elle a relevé le Makarov et elle a tiré.

Dream Gavrakis.

J'ai dit tout à l'heure que, parmi nous, elle était la plus pulpeuse. Je suppose que, pour cette raison, les bandits se l'étaient réservée en premier pour le viol collectif qu'ils avaient planifié. Elle était jeune, sans maigreur, avec cette poitrine épanouie qui attire les hommes plus que le visage ou les hanches, paraît-il. Et sa jeunesse lui donnait une physionomie insolente, sans doute excitante aussi pour les mâles en rut. Son apparence lui avait été fatale. Maintenant elle se tenait, échevelée, farouche mais très évidemment au-delà de la lassitude, en face des trois bandits qui hésitaient sur ce qu'ils devaient faire d'elle, qui avaient compris qu'elle pouvait encore se servir de son pistolet et qu'elle venait d'achever son agresseur, mais qui hésitaient. Elle ne pointait pas le Makarov en leur direction et elle l'avait laissé retomber le long de sa jambe. J'imagine qu'ils voulaient la désarmer d'abord avant de lui régler son compte. Ils s'avançaient à petits pas vers elle, deux carabines la visaient, le troisième avait sorti son sabre et il commençait à la contourner. Puis Dream Gavrakis a brusquement relevé le Makarov et a fait feu en direction de ceux qui avaient une carabine. Elle les a manqués. Aussitôt, les carabines ont répliqué. Avec un craquement métallique distinct, une balle a creusé un cratère noir dans la carrosserie du minibus. Dream s'est effondrée. L'homme qui avait un sabre n'a pas attendu qu'elle ait touché le sol et a abattu sa lame sur la nuque de Dream.

Il lui a coupé la tête. Complètement ou pas.

Pourquoi s'appesantir sur des détails abominables. Ces détails n'ont aucune importance et, de toute manière, ils sont insupportables. Dream Gavrakis a été tuée. Elle est tombée en trois, quatre secondes et, au moment où son corps a touché le sol, nous nous sommes précipitées sur les bandits. Nous ne nous étions pas concertées mais nous avons agi dans un même élan et comme sur un ordre, comme si l'une d'entre nous avait hurlé un ordre. Devant nous, nous n'avions plus rien. Notre unique perspective était d'être à notre tour assassinées par nos ravisseurs et nous préférions cela plutôt qu'être traînées à l'intérieur du minibus pour y être suppliciées et violées, et ensuite, sans doute, assassinées. Le sol était rocailleux, gravillonneux, et nous courions en produisant des crissements qui ont aussitôt alerté nos adversaires, et cela bien avant que nous les ayons rejoints. Il était aussi difficile de courir là-dessus que dans du sable. Les trois bandits ont cessé de regarder la dépouille de Dream Gavrakis, ils ont tous pivoté en même temps et ils nous ont fait face. Ils paraissaient terriblement forts et déterminés, invincibles. Lola Lifschitz, qui était à notre tête, a ralenti, elle s'est fait dépasser par Yassiliya Gavrakis et moi. Elle s'est arrêtée de courir. À notre tour, nous avons flanché. Quand nous sommes arrivées à six ou sept mètres des carabines pointées sur nous, nous avons nous aussi hésité et nous nous sommes arrêtées. Seules Maria Crow et Dora Avakoumiane ont continué. Dora Avakoumiane a été abattue alors qu'elle se trouvait à deux mètres du tireur. Maria Crow a tenté un saut de gymnaste pour déconcerter celui qui la visait, ou peut-être pour essayer de l'atteindre ou de le désarmer d'un coup de pied en plein vol, mais le bandit l'a esquivée, a attendu qu'elle touche terre de nouveau et, au lieu de lui tirer dessus, a choisi de lui asséner dans les reins et la nuque deux coups de crosse terribles. Maria Crow est restée étendue à côté du cadavre mutilé de Dream

Gavrakis dont le sang était déjà en train de se répandre. Puis l'homme qui tenait un sabre s'est avancé de deux pas vers nous. Nos regards se sont croisés, le sien et le mien, et j'ai pensé que je serais sa prochaine victime. Mais il n'a pas poursuivi son mouvement et il est resté devant notre groupe, le sabre en garde derrière l'épaule, vibrant, prêt à faucher. Le bandit qui avait assommé Maria Crow, et qui avait été aussi le conducteur du minibus, s'est alors adressé à nous, à Lola Lifschitz, Yassiliya Gavrakis et moi. D'une voix tendue, effrayante, il nous a ordonné de nous asseoir par terre. De le faire immédiatement. Comme nous n'obéissions pas, plus par un effet de paralysie que par défi, il a replacé sa carabine en position de tir et il a répété son ordre, cette fois d'une manière si éraillée et haineuse que nous nous sommes baissées et aussitôt assises sur les cailloux. Yassiliya Gavrakis s'est obstinée à rester debout. Le bandit lui a tiré dans le ventre et le deuxième tireur s'est approché et lui a déchargé son arme dans la poitrine. Yassiliya Gavrakis s'est affaissée puis elle est tombée lourdement, à moitié sur moi. Son flanc droit, son bras me pesaient sur la jambe. Le choc m'avait fait mal. J'ai accueilli contre moi Yassiliya et je me suis écartée quand j'ai compris qu'elle ne respirait plus. Puis Maria Crow s'est mise à remuer, elle a gémi, a lentement roulé sur le côté et elle a essayé de se remettre debout, mais elle est restée à quatre pattes, étourdie et essoufflée. Celui qui l'avait blessée est revenu vers elle, l'a brutalement agrippée à l'épaule, l'a redressée et lui a fait parcourir tant bien que mal la distance qui la séparait de nous, cinq ou six mètres à peine, puis il l'a jetée sur la gauche de Lola Lifschitz. Nous étions à présent trois femmes assises devant ces hommes énervés pour qui vie et mort s'équivalaient, et, à proximité de nous, il y avait les corps encore chauds de Yassiliya Gavrakis, Dream Gavrakis et Dora Avakoumiane. Le corps de Dream Gavrakis, en raison du coup de sabre, était le plus insupportable à voir. Du sang continuait à s'en échapper. Un des bandits l'a enjambé et il est allé voir ce qu'il y avait à l'intérieur du minibus. Il a hoché la tête et n'a pas prononcé le moindre commentaire. Les autres se sont succédé à l'arrière de la camionnette et, eux non plus, n'ont pas dit quoi que ce soit. L'un d'eux est monté dans le véhicule et a fouillé parmi nos affaires, puis il est ressorti avec une pelote de ficelle. En se servant de couteaux ou du sabre pour en couper les extrémités, les bandits ont façonné des liens de ficelle et nous ont obligées à mettre les mains derrière le dos pour pouvoir nous entraver. Ils n'avaient plus aucune patience et ils serraient les nœuds avec une violence méchante.

Vous êtes restées assises.

Nous sommes restées assises sur les cailloux. Le silence était revenu. Les bandits s'étaient occupés d'extraire le corps de celui que Dream Gavrakis avait tué. Ils l'avaient allongé sans précaution particulière à côté de sa meurtrière dont la tête était presque totalement détachée.

Donc il y avait bien eu décapitation.

Ils n'avaient aucun égard pour le corps de leur camarade, aucun égard pour les corps en général. Le soleil tapait. Les corps gisaient n'importe comment. Les bandits se sont installés à l'ombre du minibus et, après un moment, tantôt ils sont restés accroupis à l'ombre, tantôt ils sont entrés pour s'asseoir sur les sièges avant. Ils nous avaient laissées à l'endroit qu'ils nous avaient désigné. Maria Crow de temps en temps basculait sur le côté et, quand elle ne pouvait plus se retenir, elle geignait. Tout en chacune de nous était douloureux, mais

Maria Crow plus que moi ou Lola Lifschitz avait des raisons de gémir. Elle avait reçu deux coups qui auraient pu lui briser la nuque et l'échine, et qui avaient dû lui meurtrir horriblement les chairs. Elle était étourdie, avec encore des moments où elle perdait conscience. Les yeux plissés sous la lumière, nous regardions le ciel. Il y avait déjà, très haut, des oiseaux de proie qui tournoyaient, comme apparus par miracle, car pendant toute la matinée il nous avait semblé que le ciel était vide, ce que nous distinguions du ciel. J'ignore par quel mécanisme les vautours se transmettent leurs informations, j'ignore comment, dans un désert absolument privé de vie et donc de nourriture, ils réussissent avec une telle rapidité à se rassembler au-dessus des charognes ou des probables futures charognes.

Pas de spéculations sur les vautours. Elles sont vaines. Revenez à ce qui s'est passé ensuite. Vous avez attendu.

Nous attendions que les cavaliers nous rejoignent. J'avais envie de vomir. J'ai vomi par-dessus mon épaule. J'avais envie d'uriner. Je me suis tortillée pour essayer de baisser mon pantalon, mais je n'y suis pas arrivée et, en désespoir de cause, j'ai uriné sous moi. L'idée de l'humiliation me visitait à peine. Je pense que mes camarades ont fait comme moi. J'espérais que le soleil sécherait rapidement mes vêtements. Je me suis tortillée de nouveau pour que l'humidité sous moi soit moins grande et que le soleil agisse vite. J'ai regardé les montagnes, la route, le ciel, les vautours qui au départ étaient trois, puis qui ont été quatre, et qui continuaient à tracer des cercles au-dessus de nous. Je ne regardais pas mes camarades survivantes, Maria Crow et Lola Lifschitz, ou du moins je les regardais très peu, furtivement. Ce qui venait de se passer, notre petite révolte réprimée dans le sang, avait mis en évidence notre immense fragilité et l'inanité d'une action collective. L'exécution de Dream Gavrakis montrait également que l'action individuelle était suicidaire. Je réfléchissais à cela, sur notre situation sans issue, je revoyais le film d'horreur dont nous avions été les personnages depuis la veille, et je suppose que Maria Crow et Lola Lifschitz faisaient de même. Bizarrement, nous ne cherchions pas à retrouver la complicité qui nous avait soudées pendant des années. Chacune était cadenassée en elle-même et ne partageait plus rien avec les autres. Nous étions comme des détenues mises ensemble dans une cellule alors qu'elles n'ont pas de passé commun. C'était une impression, un comportement bizarres. Mais nous n'y pouvions rien. Je n'ai aucune explication, je me rappelle simplement que c'était comme ça. Nous venions d'agir ensemble, avec un extraordinaire ensemble, et pourtant nous nous retrouvions chacune dans une espèce de solitude sans bornes. C'était comme ça.

Assez d'interrogations sur la solitude. Des faits. Les bandits. Autour de vous et plus loin. Le convoi des bandits. La horde.

Nous avions pris beaucoup d'avance sur la horde. Nous avons attendu au moins deux heures avant que les premières silhouettes se profilent à l'horizon. Nos ravisseurs de temps à autre vérifiaient que nous nous tenions tranquilles, puis ils rejoignaient l'ombre du minibus et ils allaient s'asseoir comme de mauvaise grâce sur les sièges, où ils finissaient par somnoler. Ils s'étaient mis à fumer des pipes à la fumée rare, dont les odeurs âcres venaient vers nous parfois, portées par un souffle d'air. À vrai dire, il n'y avait presque pas de vent. Nous entendions des souffles glisser l'un sur l'autre dans les hauteurs, mais ils ne descendaient guère vers la terre. Puis les premiers chevaux ont fait leur apparition au bout de la route, et le long cortège a pris de la consistance. Il y avait des hommes et des femmes chevauchant des montures superbes, il y avait des bêtes sans cavaliers, il y avait aussi des chariots, qui devaient avoir ralenti l'ensemble, et qui sans doute transportaient le résultat de leur pillage de Kirdrik. Les bandits rapportaient leurs trésors à leur base, ou dans une cache quelconque comme ils devaient en avoir à plusieurs endroits secrets du territoire. La piraterie n'a pas de limites, mais, à partir d'un certain moment, le butin encombre les voleurs et ils doivent s'en débarrasser s'ils veulent continuer à vivre leur vie aventureuse.

Épargnez-nous ces considérations à quatre sous sur le banditisme.

On avait l'impression qu'ils allaient lentement en direction d'une foire importante, on avait l'impression qu'il s'agissait d'une caravane de marchands. Quand ils ont été près de nous, leur aspect de horde de brigands a pris le dessus. À leur tête trottaient deux de leurs généraux, Souleïmane Gesualdo et Alexis Blitz. Le troisième, Baïarov, l'assassin de Julius Bosch, devait se trouver quelque part entre la queue du cortège et son milieu. Les commandants étaient flanqués de trois femmes nettement plus remarquables que les quelques filles qui se trouvaient ailleurs dans le cortège, et qu'on avait d'ailleurs du mal à distinguer au milieu des hommes. Non pas des captives, ni de ces femmes à cervelle d'oiseau qui se condamnaient à être des putes guerrières au destin misérable, mais des pirates femelles qui allaient avec les généraux. On comprenait immédiatement qu'elles occupaient dans la bande un rôle de commandement en plus de leur rôle de concubines.

Le mot bandit n'existe pas au féminin, on se demande pourquoi. Mais vous pouvez l'utiliser, ou dire piratesse, ou pillarde. Aucune difficulté pour le comprendre. Quelques indications sur ces femmes.

À vrai dire, en dehors de leurs visages de jolies filles, elles ne se différenciaient guère de leurs compagnons. Mêmes manteaux de mouton retourné, mêmes tenues paramilitaires, mais toujours avec des fourrures, des cols de loup ou de lapin ou de renard. Des pantalons de l'armée, des bottes d'officier ou de djiguite, sur l'une une casquette de milicien couleur bleu nuit, sur les deux autres des toques en touffes de poils épaisses, hirsutes. Elles n'ôtaient pas leur couvre-chef, mais on devinait leurs crânes rasés, leurs cheveux très courts, en tout cas. Il n'y avait pas besoin d'être un fin psychologue pour deviner qu'elles étaient brutales, possiblement sensuelles, mais brutales, impitoyables. Il y avait autour d'elles une aura qui faisait peur. Et leurs armes. Des pistolets à la ceinture, des sabres courts. L'une d'elles portait une carabine en bandoulière. Elles posaient sur nous des regards d'une grande violence. Je suppose que pour être admise dans le rang qu'elles occupaient, elles devaient avoir fait preuve, à un moment ou à un autre, d'une férocité particulière, ou autrement elles auraient été reléguées au statut de simples objets de plaisir sexuel et n'auraient pas pu cavalcader en tête de cortège. Elles entouraient fièrement Gesualdo et Blitz, et par la suite j'ai appris qu'elles se nommaient Barbara Dong, Rotraud Korngold et Yee Mieticheva. Elles se détestaient.

Comment pouvez-vous affirmer cela sur ces femmes sans les connaître.

Je l'ai su par la suite. J'en ai eu confirmation par la suite. Dès le premier coup d'œil leur attitude dénonçait cela, une rivalité entre elles, une hostilité rentrée. Elles se regardaient, elles se parlaient, mais on voyait immédiatement qu'elles n'étaient pas amies. Elles sont restées en selle. Gesualdo et Blitz ont mis pied à terre pour voir de plus près ce qui s'était passé. Outre le minibus qui était hors d'usage, il y avait tout de même un mort chez nos ravisseurs et trois tuées de notre côté. Les cadavres étaient éparpillés sur les cailloux, il y avait des traînées rouges, des flaques de sang. Nos accompagnateurs, les hommes du minibus, montraient qu'ils n'étaient pas contents d'eux-mêmes. Ils répondaient de façon bourrue aux interrogations de leurs commandants. L'homme qui avait décapité Dream Gavrakis a de nouveau dégainé son sabre pour de nouveau l'essuyer sur un pan de son manteau, mais peut-être aussi pour exprimer son indépendance et son intention de ne pas supporter un excès de réprimandes. Son intention de faire parler sa lame s'il subissait un excès de réprimandes. Alexis Blitz s'est approché de nous, bientôt rejoint par Souleïmane Gesualdo. Ils ont tourné un moment autour de nous. Leurs bottes crissaient sur les graviers. Ils nous observaient de toute leur hauteur, ils sentaient les chevaux et le feu de bois, des odeurs fortes qui éclipsaient toutes les autres, y compris leurs odeurs corporelles qui pourtant devaient être puissantes. Alors qu'ils avaient passé des jours et des jours en ville, ils n'avaient pas perdu la composante principale de leurs exhalaisons : le contact avec les bêtes, avec la vie sous le ciel écrasant, avec le vent, avec les feux de camp et avec la liberté sanglante.

Luttez contre votre tendance à la formule. Elle ne sert à rien. Elle n'apporte rien.

Nous avions l'air de trois folles entravées. Les joues couvertes de larmes et de morve, les vêtements en désordre, assises par terre avec les poignets méchamment ficelés, et, pour ce qui me concerne, au moins moi, souillée de sang et de pisse. Le sang de Yassiliya Gavrakis et ma propre pisse. Nous lancions vers les commandants des regards de haine. Maria Crow essayait de se maintenir le buste droit, mais les coups qu'elle avait reçus la faisaient souffrir et, au bout d'une demi-minute, elle s'est tordue sur le côté et, comme elle ne pouvait pas dégager son bras gauche pour l'appuyer contre le sol, elle a basculé et s'est effondrée sans réussir à se relever. Alexis Blitz est allé vers elle et l'a remise droite. Il lui a murmuré des encouragements ou je ne sais quoi, comme s'il était en train de calmer un animal effrayé.

Alexis Blitz.

Une tête jeune mais ridée de crevasses profondes, surtout sur le front et autour des yeux, des yeux à l'éclat dur mais malicieux, une moustache et des cheveux où déjà avaient surgi des poils gris, un bonnet plat dans lequel il avait agrafé une étoile d'argent et un corbeau du Khorogone, une capote militaire sur laquelle figurait un deuxième corbeau ailes écartées devant un soleil rouge. En raison de l'éclat d'ironie qui brillait au fond de son regard, on avait tendance à soupçonner dans son caractère un degré supérieur de cruauté, alors qu'en réalité il n'était pas plus sadique ou brutal que ses camarades, et en tout cas moins que les femmes qui, du haut de leurs chevaux, lui lançaient des remarques salaces pour le dissuader de s'occuper de Maria Crow. Celle-ci soudain n'a plus eu la force de maîtriser sa douleur ni son corps et elle s'est penchée en avant jusqu'à rencontrer la jambe d'Alexis Blitz et à la prendre pour appui. Elle avait posé la joue sur la jambe d'Alexis Blitz. De là où je me trouvais, j'avais l'impression qu'elle se réfugiait contre le long manteau militaire d'Alexis Blitz, qu'elle voulait l'attendrir en se tassant contre lui, contre ses bottes. Je savais qu'il n'en était rien, mais c'est l'impression qu'on avait et c'est sans doute ce qu'Alexis Blitz a ressenti pendant quelques secondes. Comme s'il se laissait troubler par un élan de compassion, il s'est incliné, il a repoussé sans violence le buste de Maria Crow qui alors s'est affaissée sur elle-même. Elle s'était évanouie. Blitz s'est baissé un peu plus encore, il a accompagné son mouvement jusqu'à ce qu'elle soit allongée sur le flanc et il a détaché les liens qui lui enserraient les poignets.

Quelque chose comme une manifestation de compassion.

Une manifestation d'indépendance, surtout. Blitz faisait ce qu'il avait envie de faire et il ne se laissait pas dicter sa conduite par ses camarades hommes ou femmes ou par je ne sais quelle morale d'assassin. Gesualdo s'est à son tour penché au-dessus de Maria Crow, il voulait constater qu'elle était vraiment inconsciente et il lui a poussé le creux d'une jambe avec le pied, sans brutalité mais avec la même absence de précaution que s'il remuait la dépouille d'un animal. Puis ils se sont tous les deux éloignés pour se concerter sans que ni les bandites ni les hommes qui s'étaient trouvés avec nous dans le camion ne les entendent. Ils marchaient en enjambant les cadavres comme s'il s'agissait d'obstacles insignifiants, des mottes de terre ou des tas de vêtements. Ils sont allés vers l'avant du minibus, à un endroit où il n'y avait personne, pour discuter plus à leur aise. Plus bas sur la route, la longue colonne désordonnée n'avançait plus. Des hommes mettaient pied à terre pour aller uriner ou même s'écarter parmi les pierres pour fumer et jouer aux cartes, comme s'ils pressentaient une halte qui allait durer. L'air s'était mis à charrier avec insistance les odeurs de crottin et de sueur. À un moment, Baïarov est arrivé en trottant sur son beau cheval gris. Il n'avait pas changé de monture et j'ai revu image par image le film de la violence qu'il avait exercée sur nous près du lac, la route, la discussion avortée, le meurtre de Julius Bosch. La violence n'avait pas cessé depuis lors. Très peu de temps s'était écoulé depuis ce premier contact avec les bandits et, du théâtre ambulant de la Grande-nichée, des neuf personnes qui étaient descendues joyeusement près d'un lac d'émeraude pour s'imprégner de beauté et de nature, il ne restait plus que trois femmes, dont une était gravement blessée et les deux autres mains liées derrière le dos, empestant le sang, la mort et la pisse. Baïarov a demandé aux bandites à cheval de lui exposer la situation, mais il voyait bien lui-même qu'autour de la camionnette en panne tout s'était passé très mal. À son tour il a mis pied à terre. Il s'est dirigé vers les autres commandants, à l'avant du minibus, et ils ont commencé à parler ensemble tranquillement. Puis il est revenu vers nous, vers Maria Crow, Lola Lifschitz et moi, et il s'est adressé aux hommes qui l'accompagnaient, parmi lesquels j'ai reconnu celui qui avait assommé Julius Bosch. Lola Lifschitz a été remise debout, ses liens ont été dénoués, et deux cavaliers l'ont guidée jusqu'à la route et encadrée. Ils restaient en selle et ils ne se baissaient pas pour l'obliger à avancer. Ils n'avaient pas besoin de la malmener, elle s'était mise à marcher docilement entre les deux bêtes. Elle ne se retournait pas vers moi. Nous nous étions quittées sans un adieu. Nous n'avions même pas échangé trois phrases en nous séparant, même pas des banalités, sur le fait qu'on allait très bientôt se retrouver, qu'il fallait tenir bon, que ça allait, pour l'instant. Tous ceux qui nous étaient chers avaient été assassinés, nous venions d'assister au déchaînement de la barbarie contre nos seules amies, nous n'étions plus que deux survivantes presque intactes, et nous n'avions même pas réussi à chuchoter que ça allait, pour l'instant. Lola Lifschitz partait en direction de la queue du cortège. Sa silhouette a diminué, a diminué, puis elle a disparu. Je ne l'ai plus jamais revue. Plus tard le cortège s'est scindé. Elle n'a pas fait partie du groupe auquel j'appartenais.

Vous suggérez qu'elle a été tuée.

Je ne sais pas. Je ne l'ai plus jamais revue. Évidemment, quand j'ai pu le faire, après plusieurs jours, j'ai demandé de ses nouvelles, j'ai voulu qu'on me dise ce qui lui était arrivé ce jour-là, sur la route qui venait de Kirdrik, après que le convoi s'était arrêté à cause du massacre près du minibus. Je n'ai rien pu savoir. Je ne suggère rien. Elle a été tuée, ou elle a été intégrée à la bande, comme soldate à part entière ou comme esclave sexuelle. Ou elle s'est enfuie. Oui, elle a peut-être échappé aux bandits. Il suffisait de suivre la route pendant la nuit, puis de quitter la route et de se cacher en cas de poursuite.

Vous n'avez pas tenté de vous enfuir.

Des hommes de la horde de Baïarov m'ont mise debout et ont ôté mes liens. J'ai mis une minute à récupérer l'usage de mes membres ankylosés puis je me suis baissée vers Maria Crow. Je lui ai touché le front, le cou. Elle respirait régulièrement mais elle n'avait pas repris conscience. Il y a eu un moment de flottement pendant lequel on m'a laissée près de Maria Crow, puis un bandit m'a tirée en arrière, m'a conduite jusqu'à un cheval et m'a dit de me mettre en selle. Au milieu du convoi, de nombreuses bêtes n'avaient pas de cavalier. Je me suis retrouvée à côté du groupe des bandites. Il m'était déjà arrivé de monter sur un cheval, mais j'étais loin d'être une cavalière à l'aise sur une selle. Les femmes autour de moi m'ont observée avec mépris puis se sont détournées. Je flattais l'encolure de ma monture pour me donner une contenance. Baïarov s'est approché et, comme si la situation était tout à fait normale, m'a demandé si tout allait bien. De là où j'étais perchée, je voyais l'intérieur du minibus en désordre, avec nos affaires de théâtre, et, sur la caillasse omniprésente, des taches et des éclaboussures de sang et des corps jetés ici et là, comme pour la scène finale d'une tragédie aux effets grand-guignolesques excessifs. J'ai répondu à Baïarov que ça pourrait aller mieux et il a haussé les épaules. Il n'avait aucune envie de bavarder avec moi. J'évitais de le regarder et j'évitais de regarder les visages éclatés des morts, j'évitais de montrer que j'avais du mal à conserver mon équilibre. Je me tournais vers Maria Crow et j'essayais de comprendre si son état était sans espoir ou non. Sur les instructions d'Alexis Blitz, des hommes sont allés vers elle, ils l'ont relevée et l'ont installée, inanimée, en travers d'une jument à la robe rousse qu'ils ont menée en direction de la queue du convoi et qui s'est très vite pour moi fondue dans la foule. L'équipage du minibus avait quitté les parages, à la recherche des bêtes qu'ils avaient l'habitude de monter et qui avaient accompagné le convoi. Sur l'ordre d'une des bandites, un homme est allé chercher quelque part un manteau en peau retournée que je n'ai pas refusé et qu'au contraire j'ai enfilé sans faire d'histoire. Tout indiquait que le convoi allait repartir en abandonnant les cadavres au bord de la route. Il n'y avait aucune velléité d'aucune sorte pour ensevelir le violeur que Dream Gavrakis avait exécuté, et évidemment encore moins pour donner une sépulture à Dream Gavrakis, Yassiliya Gavrakis et Dora Avakoumiane. J'ai levé la tête vers le ciel, ce que je n'avais pas fait depuis la dernière demi-heure. À présent, les charognards étaient six. Ils continuaient à tracer d'infatigables cercles, avec la patience des prédateurs qui savent que la nourriture ne leur fera pas défaut, ne s'échappera pas. Ils avaient déjà perdu de la hauteur et on distinguait d'eux quelques détails, la silhouette de la tête, des plumes orphelines au bout des ailes. J'ai examiné ce qui se passait autour de moi. Les trois commandants avaient pris la tête du cortège et j'ai senti qu'ils allaient incessamment donner le signal du départ. Je suis descendue de mon cheval, j'ai parcouru les vingt mètres qui me séparaient de l'arrière du minibus, je me suis introduite à l'intérieur sans avoir à ouvrir la porte qu'ils n'avaient même pas fermée, j'ai avisé le sac qui contenait mes affaires et j'ai regagné la route et assujetti de mon mieux les poignées du sac à la selle. Les amazones m'examinaient avec une fureur rentrée, les généraux, eux, attendaient que j'aie terminé mon installation. Ils avaient des visages terriblement impassibles et durs. Je suis remontée en selle sans grâce, mais sans maladresse, sans doute parce que j'étais habitée par quelque chose que je pourrais aujourd'hui, en y repensant, assimiler à du somnambulisme, un somnambulisme suicidaire et rageur. Puis ils ont donné le signal du départ.

Pourquoi ce sac.

Le comportement de Baïarov avec moi et de Gesualdo avec Maria Crow signifiait que je n'allais peut-être pas mourir tout de suite. J'ai imaginé que ce départ avec le convoi, sur un cheval et sans qu'on m'ait ligoté les poignets, marquait une sorte de rupture. J'allais rompre avec tout, et j'aurais peut-être un statut autre que celui de prisonnière, de violée ou de morte. J'avais besoin de linge, de tenues pour poursuivre ce voyage. Tout ce que je portais sur moi était souillé, à l'exception de la pelisse dont je venais d'hériter.

De nouveau donc un déplacement en groupe. Pour la suite, synthétisez. Sautez des étapes si nécessaire. Vous pouvez nous épargner la description fastidieuse de cette caravane.

Nous avons progressé jusqu'au soir en direction de la vallée de Göm, sans l'atteindre. Comme nous allions au pas, je pouvais faire semblant d'être à l'aise sur mon cheval. Je ne pensais à rien. Je considérais que je devais me laisser porter par les événements. De temps en temps je me retournais, non pour distinguer au loin les vautours qui m'auraient indiqué un point de repère sur notre route, et qui assez vite avaient cessé d'être visibles, mais pour essayer de situer Lola Lifschitz et Maria Crow quelque part dans la caravane. C'était peine perdue.

À la nuit tombée, vous avez fait halte.

Les bandits ont entravé les chevaux et se sont répartis par groupes autour de feux minuscules. Ils avaient dû emporter avec eux de petites quantités de bois à brûler. Des provisions circulaient, de la viande séchée, des boulettes de farine mêlée à du borts, des fragments de lait caillé et durci, une nourriture pour voyageurs qui n'était pas différente de ce que nous consommions pendant nos longs périples au milieu de régions désertiques, quand nous étions une compagnie théâtrale en pleine activité, ce qui déjà pour moi renvoyait à un passé extraordinairement lointain et presque impensable. Tant il y avait là d'images de bonheur, de complicité et de liberté. Je me suis assise près des bandites. Elles ne se parlaient pas entre elles et je ne disais pas un mot. Le ciel était étoilé, la lune était absente, une faible lueur vaguait parmi nous, comme issue de la terre plus que du ciel. Il faisait froid, je me suis enveloppée de mon mieux dans ma pelisse pour dormir. Quand je me suis écartée pour faire mes besoins, personne ne s'est informé de la raison pour laquelle je me levais. Personne ne me surveillait. J'aurais pu continuer et marcher vers les montagnes toutes proches. Mais je suis revenue m'allonger à l'endroit d'où j'étais partie. Une évasion n'aurait eu aucun sens et aucun avenir. La nuit a été longue. Je me sentais confuse et sans force mentale, tout à fait désespérée, et il me semblait que mon corps était sale et nauséabond.

Ne vous apitoyez pas sur vous-même. Malgré tout, vous aviez survécu et vous n'aviez pas trop souffert de mauvais traitements. Que vous sentiez la pisse ou que vous souffriez d'insomnie n'est pas essentiel. Accélérez le récit.

Malgré tout, j'avais survécu, alors que la plupart de mes camarades avaient été massacrés, les hommes comme les femmes. Pas très loin, quelque part dans la nuit et au milieu de la caravane, Maria Crow et Lola Lifschitz respiraient sans doute encore, mais je n'avais plus aucun contact avec elles et j'imaginais que peut-être, au contraire, j'étais l'unique survivante.

Accélérez le récit.

Au matin, nous avons repris la route. En milieu de journée, nous sommes arrivés dans la vallée de Göm, qui était balayée par un vent de poussière, et les commandants se sont mis d'accord pour scinder la caravane en trois. Je pense qu'il ne s'agissait pas de dissensions ni de rivalités. Je crois qu'à partir de trois bandes distinctes ils avaient façonné une force commune pour s'emparer de Kirdrik mais qu'ils estimaient que rester ensemble finirait par faire surgir des crises entre eux ou entre leurs affidés. On connaît les problèmes d'instabilité dans des groupes guerriers constitués de bric et de broc.

Oui, on connaît. Passez.

Après une pause et une certaine agitation, les trois cortèges sont partis dans trois directions différentes, de façon à peu près disciplinée et sans conflit. J'ai été entraînée dans la division que commandait Baïarov, de loin la moins conséquente, une petite cinquantaine de cavaliers au total, avec une douzaine de chevaux supplémentaires et une charrette de bagages. Baïarov a tapé sur l'épaule des deux autres commandants. Ils se séparaient amicalement, il n'y avait pas eu de récriminations sur le peu de butin qu'emportait notre groupe, alors que la caravane semblait chargée encore des restes du pillage de Kirdrik. Derrière nous, j'avais l'impression que la taille de la caravane n'avait pas changé. J'ai essayé de distinguer, dans ce désordre de bêtes et d'hommes, les figures de Lola Lifschitz et de Maria Crow. J'ai eu un coup au cœur en entrevoyant Maria Crow au milieu d'un nuage jaunâtre de sable en suspension. Elle avait été capable de s'asseoir sur une selle, mais elle avait le buste en biais, la tête penchée. Nous étions trop éloignées l'une de l'autre pour échanger des signes et elle ne m'a pas aperçue. Je lui ai souhaité silencieusement de se rétablir vite et d'être prise en charge par Alexis Blitz qui avait semblé faire preuve d'une certaine humanité quand, la veille, il s'était penché sur elle. J'en étais là, à fantasmer sur des bribes d'humanité d'un chef de bande, alors que nous avions été précipitées dans un cauchemar sans la moindre perspective heureuse.

Vous exagérez. La suite l'a prouvé.

Nous avons trotté, à une allure plus grande que celle du jour précédent, en direction de la passe de Görem. Nous avons bivouaqué à quelques kilomètres du col. Il soufflait un vent aigre, avec, de temps en temps, des flocons durs qui grésillaient sur nos vêtements. Le repas a été extrêmement austère, comme il se doit, comme la veille. Des miettes de viande séchée et un peu d'eau. Par groupes d'une dizaine, les bandits se pressaient autour de foyers à peine visibles. Ils ont ri et ils ont chanté. Je me trouvais à l'écart, avec deux des amazones qui faisaient partie du groupe de Baïarov, Barbara Dong et Yee Mieticheva. La troisième, Rotraud Korngold, avait suivi le groupe de Gesualdo. Nous avions fait connaissance de façon élémentaire. Dans la bande, elles assumaient une fonction imprécise, la fonction de protégées de Baïarov. Je me suis rendu compte que j'avais moi aussi, plus ou moins, ce statut de protégée. Cela signifiait qu'en dehors de Baïarov, je ne serais pas importunée par le reste des bandits, qui, par ailleurs, avaient avec eux quatre esclaves sexuelles destinées à une consommation pas forcément terrible et bestiale, mais collective. Nous restions dans l'ombre, sans plus rien nous dire après avoir échangé nos noms. Nous nous sommes couchées par terre. Dans l'obscurité, Baïarov est venu visiter Yee Mieticheva. Puis la nuit est passée sans bruit autre que celui du vent et des ruminations et claquements de sabots des bêtes. Le ciel était sombre. Quand la lune est apparue, à son tout premier quartier, on était déjà presque à l'aube.

Épargnez-nous la monotonie du voyage. Inutile de décrire les nuits, la lune, la nourriture. Les bivouacs se ressemblent. Baïarov, Yee Mieticheva.

La bande de Baïarov était assez disciplinée et comptait un général et quatre officiers, ou, disons, quatre bandits qui avaient de l'autorité sur les autres. Barbara Dong assumait certaines responsabilités logistiques et plus tard je l'ai vue intervenir pour mettre fin à une dispute, elle avait cette autorité, elle aussi. Yee Mieticheva avait plutôt un statut de conseillère spéciale et de sorcière. Toutes deux possédaient une apparence dure, solide, et un visage brutal, sans sourire autre que méprisant ou ironique. Si on laisse de côté cette brutalité des traits, elles étaient belles. Elles ressemblaient à des filles des hauts plateaux, avec des yeux comme ouverts au couteau au milieu de la figure, bridés, deux entailles sans cils et à peine soulignées par des sourcils peu épais, et, dans cette fente étroite, des regards brillants, propres à inquiéter plus qu'à charmer. Les iris de Barbara Dong tiraient sur le gris-vert, ceux de Yee Mieticheva étaient brun foncé. Ces trois-là, les deux femmes et Baïarov, donnaient une impression de force, d'obstination, d'absence de toute pitié, et, en même temps, une impression de perfection physique. Je l'ai déjà dit, j'avais été frappée par les traits de Baïarov, au moment où il allait tuer Julius Bosch, par le bronze élégant de sa peau, par ses sourcils noirs parfaitement dessinés, par l'intensité superbe de ses yeux marron clair. J'avais été frappée et je continuais à l'être, en dépit des heures et des jours qui s'écoulaient et en dépit du rôle que cet homme avait joué dans le désastre de Kirdrik et dans l'effondrement cauchemardesque de la Compagnie de la Grande-nichée, dans mon basculement personnel vers une atroce survie. J'avoue une chose. Quand Baïarov est venu, à quelques mètres de moi, s'accoupler avec Yee Mieticheva, j'ai ressenti un pincement de jalousie, peut-être parce que j'assistais à un retour nocturne de la normalité autour de moi et que j'en étais exclue, mais peut-être aussi parce que Baïarov, dont j'avais suivi la silhouette à cheval toute la journée, m'attirait. J'ai ressenti cette petite attaque absurde de jalousie comme si je considérais que je faisais partie de son harem. Et seulement ensuite j'ai pensé à Barbara Dong, la seconde favorite. Elle devait peut-être, et avec plus de raison que moi, être touchée par un léger sentiment de rage. Elle ne devait certainement pas être systématiquement délaissée par son général, mais, cette nuit-là, elle l'était.

Une synthèse sur la suite des événements.

Plusieurs jours ont passé et nous avons atteint l'endroit qui servait de base à la petite armée de Baïarov, un village de montagne, dans la chaîne des Hölkhög. Le village n'avait pas de nom, et ses habitants se réduisaient à quatre vieillardes qui ne semblaient pas être étrangères à la bande. Peut-être y avait-il parmi les voleurs des fils ou des neveux qu'elles étaient contentes de savoir proches d'elles. Le soir, quand elles n'allaient pas se coucher, elles se mêlaient aux réunions bruyantes et parfois se mettaient à raconter des histoires interminables, ou des chapitres répétitifs d'épopées qui avaient pour héros des bergers ayant combattu le pouvoir des Douze Ciels Corbeaux. Pendant la journée, elles s'occupaient d'un troupeau de moutons et de deux vaches qui, manifestement, constituaient une réserve de nourriture à laquelle on ne touchait pas. Autour du village, il y avait des arbres maigrichons, de l'herbe jaune, un petit torrent. Plus loin, au-delà des sommets, s'étendait un plateau aride, en cailloux et en sel, pas très large. Des pistes menaient à d'autres villages invisibles, éloignés, et une route conduisait aux plaines de Garam-Hölkhög, où il y avait suffisamment de bourgades à piller pour alimenter les voleurs pendant des années.

Votre existence dans ce village.

Les bandits retrouvaient des maisons qu'ils avaient réquisitionnées de longue date et où peut-être certains d'entre eux avaient vu le jour. Les nouvelles recrues s'installaient ici et là. Le butin s'entassait dans plusieurs granges, dans un désordre et une absence de surveillance qui montraient à quel point, au fond, le pillage n'avait pas pour but l'accumulation de richesses, mais se déroulait pour le plaisir, pour le plaisir de la violence, de la vie libre, des expéditions nerveuses, des chevauchées.

Pendant un temps, disons une semaine, je n'ai pas su ce que Baïarov voulait faire de moi. Il me traitait avec distance, comme si j'étais une créature pour lui sans importance. Il avait néanmoins veillé dès notre arrivée au village à ce que je sois installée normalement, et, d'une certaine manière, traitée par les bandits comme une égale. Comme si j'avais été intégrée sans histoire à la bande, et sous sa protection. J'étais logée dans une masure en pierres dont les murs, à l'intérieur, étaient isolés du froid par un mélange de terre et de paille. Il y avait deux fenêtres et deux portes, une qui donnait sur la rue et l'autre sur l'arrière, une cour non clôturée où je devais partager un puits avec une demi-douzaine d'autres habitations. Il n'y avait pas de latrines, il fallait sortir à l'écart pour se soulager. Dans un coin, un évier en lave était à ma disposition pour faire tous les lavages de linge, de vaisselle ou de corps que je souhaitais entreprendre. C'était assez rudimentaire et spartiate, mais j'avais vu pire. Cette masure, j'étais seule à y loger. Juste à côté, Yee Mieticheva avait à peu près le même type de logis, avec il est vrai beaucoup plus de couvertures et de tapis pour y dormir et y recevoir son amant. J'ai commencé à vivre en faisant partie de la communauté. Je n'avais pas grand-chose à dire aux uns et aux autres et j'ai établi avec à peu près tout le monde des relations élémentaires. Je ne savais pas m'occuper des bêtes mais, à force d'observer ce qu'il fallait faire, je l'ai appris. Souvent, j'ai aidé les vieilles. Elles radotaient et je n'obtenais d'elles aucun renseignement sur rien, sur leur vie ici, sur la région, sur leur existence au temps où le Khorogone et les Douze Ciels Noirs signifiaient encore quelque chose. J'ai fait des progrès en équitation. Les bandits partaient couramment, à deux ou trois ou seuls, pour se promener à cheval dans les environs, trotter ou galoper quand le terrain s'y prêtait. Je les imitais. Je n'étais pas considérée comme une captive et personne ne me demandait des comptes. Mon cheval était une jument à la robe caramel, elle me reconnaissait et était d'un naturel tranquille. Nous faisions ensemble de grandes balades et je lui faisais confiance pour trouver le chemin du retour. L'idée de m'enfuir ne me visitait guère. Je n'étais plus une comédienne emportée dans un mauvais rêve, je n'étais plus rien, ou, à la rigueur, j'étais une femme bizarre, associée à une bande de voleurs. De temps en temps, les bandits quittaient le village pour effectuer une razzia, une quinzaine de cavaliers menés par Baïarov ou Barbara Dong. Ils restaient absents pendant huit, dix jours, puis ils revenaient chargés d'huile pour les lampes, de nourriture séchée, de vêtements chauds, de couvertures, parfois de chevaux supplémentaires. Ils ne m'emmenaient jamais avec eux. Pendant ces périodes où le village semblait plus vide, j'avais plus d'occasions de me rapprocher de Yee Mieticheva. Nous avions des relations assez froides, chacune de nous était sur la défensive, mais nous nous parlions. Je pense que, pendant des semaines, Barbara Dong et elle avaient craint que je ne devienne la maîtresse de Baïarov, ce qui les incitait à me haïr, mais, comme cela ne s'était pas produit, elles avaient toutes deux fini par me considérer comme une étrangère inoffensive. Yee Mieticheva n'éprouvait pas de sympathie pour sa rivale Barbara Dong et, de temps en temps, elle me le faisait comprendre. Sans chercher ma complicité, elle se laissait parfois aller et lâchait une réflexion cinglante qui disait tout. Je lui avais parlé de la Compagnie de la Grande-nichée et elle me demandait de lui décrire notre vie de comédiens ambulants. Sur ce qu'elle avait été avant de rejoindre la bande de

Baïarov, elle ne me donnait jamais aucune indication, mais il me semble qu'elle avait dû appartenir à une secte ou à un bureau dissident du Parti, car parfois le vocabulaire qu'elle utilisait avait des nuances politiques ou mystiques qu'on n'aurait pas pu trouver sous la langue d'une pure et simple vaurienne ou voleuse. Je parle d'autant plus de secte qu'il y avait chez elle une prétention à des connaissances de magie ou de chamanisme, qui lui avaient valu la réputation d'être une sorcière, alors qu'à vrai dire elle ne se livrait jamais à la moindre cérémonie liée à l'appel de l'au-delà ou à ces choses. Ce qui ne l'empêchait pas de sous-entendre et même parfois d'affirmer qu'elle possédait des dons. Cela faisait partie de la légende qu'elle entretenait autour d'elle, peut-être pour se défendre au milieu des brutes, ou peut-être simplement par coquetterie. Elle m'avait fait part de son intérêt pour le théâtre, dont elle ne connaissait pas grand-chose et, outre les récits que je lui faisais sur notre quotidien de comédiens ambulants, sur nos déplacements au Khorogone et sur nos rapports avec le public, je lui parlais de notre répertoire. Je lui ai parlé des vociférations étranges.

Vous lui avez parlé des vociférations étranges.

Depuis Kirdrik, les slogans étranges étaient restés en arrière de ma conscience, comme tabous, car quelque chose en moi savait qu'à la moindre sollicitation que je ferais pour les évoquer ils réveilleraient de la douleur et du chagrin et m'encourageraient à la dépression et au suicide. Puis, au contact de Yee Mieticheva, j'ai renoué avec cette masse de phrases qui avait été reléguée sous mes rêves, en fait pas très loin de la surface. Les slogans sont revenus ponctuer les moments les plus prosaïques de mon existence au village. Au début, ils resurgissaient sans prévenir, de façon totalement inattendue et irrationnelle, puis j'ai demandé à une voix intérieure de me les souffler. Et je les ai retrouvés. Ils ont de nouveau été un des piliers de ma vie mentale, pour ne pas dire de ma vie tout court. J'en ai parlé à Yee Mieticheva, j'en ai prononcé plusieurs à haute voix. CELLE QUI DÉSARTICULE LE LANGAGE EN TOI, ENFLAMME-LA ! CELLE QUI CHANTE DERRIÈRE TOI, ENFLAMME-LA ! NE MARCHE PAS SANS FLAMME EN TOI ! Elle m'a scrutée de son regard impressionnant, entre ses paupières très peu écartées, et j'ai soudain eu l'impression qu'en effet elle avait un don étrange, que rôdait en elle un pouvoir sorcier. Je me suis arrêtée et elle m'a priée de poursuivre. Nous étions fascinées, elle par ce que je murmurais devant elle, et moi par son regard de tueuse, de tueuse mystérieuse et anormale. Dans la pénombre de la masure où la scène se passait, elle était d'une beauté à couper le souffle. J'ai repris, rauque dans le silence tendu qui nous entourait. QUAND LA FLAMME DÉSARTICULE LE LANGAGE EN TOI, ENFLAMME-LA ! APPRENDS L'OUBLI ! APPRENDS LA MÉMOIRE ! N'HABITE JAMAIS PLUS LA FLAMME, OUBLIE TOUT ! EN TOI SEUL L'OUBLI MÉRITE QU'ON S'EN SOUVIENNE ! Je me suis tue, nous nous sommes assises l'une en face de l'autre et nous sommes restées ainsi pendant un long moment, comme si notre conversation avait définitivement perdu toute raison d'être. Elle me fixait mais je ne réussissais pas à soutenir son regard plus d'une dizaine de secondes. Elle n'a pas fait de commentaires et, comme le soir tombait, je me suis retirée chez moi. Ce jour a marqué une modification dans nos relations et, au fond, dans mon existence au village. Le lendemain, Yee Mieticheva m'a paru légèrement plus amicale que d'ordinaire. Elle m'a demandé si je pouvais lui apprendre quelques-unes des vociférations étranges que j'avais en mémoire. Elle me proposait même de préparer ensemble un spectacle au village, à deux voix. J'ai reçu sa demande comme une lubie de femme dérangée, que l'absence de Barbara Dong et de Baïarov rendait hystérique, et je n'avais aucun moyen de me rendre compte de son aptitude ou non à assumer un emploi de déclamatrice, mais j'ai accepté. J'avais en tête ma complicité sur ce texte avec Maria Crow, avec les comédiennes de la Compagnie de la Grande-nichée qui avaient été massacrées sous mes yeux ou qui avaient disparu, mais j'ai accepté.

Votre complicité désormais avec Yee Mieticheva.

Ce même soir, Baïarov et sa bande sont revenus de leur dernière expédition. Ils avaient rencontré de la résistance à Sijdrad, une petite ville située à l'ouest du Garam-Hölkhög. Après s'être approvisionnés en viande séchée et en huile, ils étaient tombés dans une embuscade. Deux hommes avaient été tués, deux autres blessés. Les chevaux des morts avaient été perdus. Barbara Dong avait reçu une balle dans le ventre. La bande s'est dispersée dans le village au milieu d'explications énervées. Même ceux qui rentraient sains et saufs avaient l'air exténués. Des tenues grises de poussière, des visages de morts-vivants. Baïarov était d'une humeur exécrable. À ceux qui lui posaient des questions sur ce qui était arrivé il opposait des regards meurtriers. Les bandits ont pris le temps de se débarrasser de leur butin, de desseller leurs bêtes, de les panser, puis, au lieu de fêter les retrouvailles comme c'était l'usage, au lieu de se préparer à banqueter, à boire et à chanter, ils se sont enfermés chez eux et ils ont laissé retomber sur le village un silence lourd. J'étais assise par terre dans ma maison, dans le courant d'air, devant la porte ouverte, à observer les changements du ciel au-dessus de la cour, quand Yee Mieticheva est entrée et m'a priée de venir avec elle soigner et veiller Barbara Dong. J'ai pris dans mon sac une boîte qui y traînait depuis toujours, avec une bande de gaze et une pommade antiseptique qui devait dater d'avant notre entrée au Khorogone. Je ne me sentais guère compétente, même pour des soins de premier secours. Yee Mieticheva voulait surtout ne pas se retrouver seule au chevet de cette femme dont j'avais depuis longtemps perçu qu'elle ne voyait pas l'existence d'un bon œil. Elle ne voulait pas être accusée par Baïarov de mettre en danger la vie de la blessée, ou simplement de mal ou malignement s'occuper d'elle. Puisque tu es sorcière, m'a dit Yee Mieticheva, tu devrais mieux que moi pouvoir sauver Barbara Dong. J'ai compris alors qu'elle avait interprété les quelques vociférations que j'avais prononcées devant elle, un peu plus tôt, comme les manifestations d'un savoir secret plus authentique que celui qui faisait sa réputation dans la bande. Je l'ai suivie chez Baïarov où la blessée avait été allongée, et nous avons commencé à faire ce que Baïarov attendait de nous. Il était vautré dans un coin et exhalait une forte puanteur de sueur et de cheval. Barbara Dong elle aussi empestait de la même manière, avec en plus l'odeur de la sanie et du sang. Elle nous a dévisagées quand nous nous sommes penchées sur elle et elle a tenté de dire quelque chose de drôle, qui prouvait sa bravoure, sa volonté de ne pas s'en faire pour si peu, mais sa bouche n'a bredouillé que des mots incompréhensibles et elle a vomi un peu de bave écarlate et sa tête est retombée en arrière. Nous l'avons déshabillée pour examiner sa blessure. La plaie était baignée de liquides poisseux, rouges, jaunes, striés de noir, et il s'en échappait une forte odeur. J'ai pensé à une odeur de viande plus qu'à une odeur de chair humaine. J'ai entrepris de nettoyer cela de mon mieux. Autour du trou, situé du côté droit, il y avait des cercles concentriques, gris et rose. Barbara Dong gémissait, puis elle a commencé à balbutier des bouts de phrases qui ne s'enchaînaient pas les uns aux autres. Elle avait de la fièvre. Yee Mieticheva lui a passé un linge mouillé sur le front, les joues. Baïarov s'est relevé, est venu voir de plus près ce qui se passait, puis il est retourné dans l'ombre en haussant les épaules, puis, quelques minutes plus tard, il est sorti dans la rue. Il faisait nuit, nous étions sous la lumière de deux lampes à huile. Nul besoin d'être une sorcière ou une guérisseuse experte pour comprendre que le cas de Barbara Dong était désespéré. Je n'ai même pas appliqué la pommade antiseptique que j'avais apportée avec moi, je me suis contentée de poser un morceau de gaze sur la plaie qui avait recommencé à couler, puis de recouvrir le ventre de Barbara Dong avec un pan de chemise. Nous sommes restées à son chevet, silencieuses sous le grésillement de l'huile des lampes et parfois sursautant quand des lèvres de Barbara Dong s'échappaient des soupirs ou des grondements. Elle ne dormait pas, mais elle n'était déjà plus consciente. Une heure s'est écoulée ainsi, et soudain Yee Mieticheva m'a demandé de chuchoter des formules magiques, elle souhaitait les répéter après moi et les apprendre. Elle a ajouté qu'elle se doutait qu'il ne s'agissait pas de poèmes ou de slogans de théâtre, que des vociférations telles que celles que je lui avais confiées dans l'après-midi n'avaient rien à voir avec le théâtre, avec la scène, et qu'elles appartenaient forcément à un rituel de sorcellerie ou de magie. Je me rappelle sa conviction et je me rappelle très exactement la phrase où elle exigeait de moi des chuchotements et rien d'autre.

Vous avez prononcé des vociférations étranges au chevet de Barbara Dong.

Nous avons donc toutes deux prononcé des vociférations étranges au chevet de Barbara Dong. Je m'appuyais sur la conviction de Yee Mieticheva et j'avais balayé en moi l'idée que je me livrais à une imposture. Je murmurais lentement, ce sont des phrases qu'on peut réciter de mille manières, en les braillant, en les chantant, à mi-voix, dans un souffle. Yee Mieticheva les répétait après moi et elle les répétait impeccablement, avec la même intonation, les mêmes accents. La même émotion contenue. Parfois je reprenais ce que je venais de dire et nos deux discours se chevauchaient, avec des effets d'écho qui nous faisaient frissonner à la même seconde. Nous avions là soudain une complicité musicale et une complicité sorcière. Je ne me posais pas la question de cette union inattendue. C'était comme ça, un de ces rares moments où la parole crée du temps, de l'espace en même temps que la mort du temps et de l'espace.

Vous ne maîtrisez pas ce que vous dites. Reprenez votre histoire sans déraper dans une métaphysique qui vous dépasse. Reprenez.

Nous avions des voix frissonnantes et rauques. Mal éclairée par les lampes, Barbara Dong sous nos vociférations pas très sonores ne réagissait pas. Elle ne reprenait pas conscience, mais elle avait cessé de geindre. Son corps se reposait, et elle avec. Nos vociférations étranges n'étaient pas forcément en accord avec la situation, mais notre manière de les dire, si. Notre manière de les réciter au-dessus de cette malade, comme des prières, comme des formules mystérieuses. EN ROUTE VERS LE RIEN, N'ÉPARPILLE PAS L'ÉPEIRE ! EN CAS DE MALHEUR, NE TE RÉINCARNE PAS À LA VA-VITE ! NE TE RÉINCARNE PAS EN MARYIAM

MINAHUALPA ! NE RETARDE PAS L'HEURE DU SILENCE ! BRANDIS TES VISAGES AU-DESSUS DE TA TÊTE, VA AU SILENCE ! Toutes les demi-heures environ, Baïarov entrait dans la pièce. Il faisait trembler les flammes dans les lampes, et, comme il s'adossait à la porte sans plus bouger, les flammes se calmaient. Nous ne nous interrompions pas, nous ne faisions pas attention à sa présence. Il nous observait sans s'approcher de Barbara Dong, deux sorcières en train d'accomplir un rituel censé guérir une malade en phase terminale. Je pense qu'il trouvait la cérémonie incompréhensible mais nécessaire, et qu'elle le satisfaisait, ou qu'elle le rassurait. Il restait immobile contre la porte puis, sans rien dire, il ressortait. Yee Mieticheva n'échangeait avec moi aucun regard et il faut dire que ses paupières déjà étroites, dans la mauvaise lumière, semblaient closes. Elle se concentrait entièrement sur les phrases à prononcer. Elle m'étonnait, elle ne butait pas sur les mots, elle n'était pas repoussée par la bizarrerie de ce que je lui donnais à répéter. Au bout d'un moment, comme nous avions épuisé la masse des slogans que j'avais en mémoire, nous avons repris la déclamation depuis le début. Je me suis rendu compte qu'elle les connaissait déjà tous par cœur. De plus en plus souvent, nous parlions à deux voix, ou elle anticipait sur ce que j'allais dire. Il y avait là une sorte de transe théâtrale, quelque chose qui touchait à l'origine magique du théâtre, à ce que Dora et Sorj Avakoumiane considéraient comme essentiel dans le théâtre.

Assez de détails sur cette séance. Avancez vers sa conclusion. La guérison de Barbara Dong ou sa mort.

Au petit matin, Barbara Dong s'est réveillée et elle a recommencé à délirer, à crier, à appeler. La fièvre était terrifiante. Son visage était méconnaissable, tordu par la souffrance, gluant de sueur, et il brûlait. Sur son ventre, la blessure suintait, la surface touchée s'était considérablement élargie. La chair tremblait ou sursautait quand on la frôlait. Nous avions cessé de proférer nos sorcelleries.

Vous considérez à présent qu'il s'agissait de véritables formules magiques.

Ces phrases étranges n'appartiennent pas au répertoire normal du théâtre, elles ont une valeur spéciale pour moi, mais je n'ai jamais pensé qu'elles pouvaient avoir une quelconque force magique. C'était une bouffée de fausse magie qui m'aidait à vivre et qui était liée à mon enfance et à mes existences antérieures. Il est possible que les bandits et Yee Mieticheva aient cru à leur caractère sacré. Pour Yee Mieticheva et pour Baïarov, nous avions passé la nuit à appeler des forces obscures au chevet de Barbara Dong. J'étais hypnotisée par le texte et par mon union avec Yee Mieticheva, et je n'étais pas loin de croire à mon tour à l'efficace de notre rituel, mais, en même temps, je n'y croyais pas.

Bref.

Baïarov est entré une nouvelle fois dans la chambre. Avec cet apport d'air frais, je me suis aperçu que nous étions restées enfermées dans une atmosphère épaisse, dans les senteurs épaisses de la gangrène, des respirations fiévreuses, du sang, auxquelles s'ajoutaient les puanteurs plus habituelles des bêtes, de la sueur et du linge sale qui flottaient partout dans le village, dans toutes les maisons du village. Baïarov nous a fait sortir et nous sommes retournées dans nos masures respectives. Je me suis écroulée sur mes couvertures et j'ai dormi pendant une ou deux heures, le temps que le jour se soit vraiment levé. J'ai regardé par la fenêtre la maison de Baïarov. Celui-ci était dehors, entouré d'un petit groupe d'hommes à qui s'était jointe une des vieilles du village. Barbara Dong était morte.

Baïarov l'avait achevée pour mettre fin à ses souffrances.

Elle était perdue. Peut-être Baïarov l'a-t-il achevée pour mettre fin à ses souffrances, peut-être est-elle morte sans aide extérieure. La question n'a jamais été soulevée par quiconque. Personnellement, si je m'étais trouvée à la place de Barbara Dong, dans cette situation désespérée où elle se trouvait, je ne me serais pas opposée à ce que Baïarov m'achève.

Avancez plus loin dans cette histoire.

Barbara Dong a été enterrée près du village. Un creux et, dessus, un amas de grosses pierres. Puis Baïarov a rassemblé les bandits et il a ordonné à tout le monde de se préparer pour une opération de représailles contre Sijdrad, la ville dont la milice avait organisé une résistance et une embuscade fatales. Une fois de plus, le village allait se vider complètement, laissé à la garde des quatre vieillardes et des deux blessés. Baïarov n'abandonnait plus son masque farouche. J'avais parfois l'impression qu'il faisait peur à ses hommes. Depuis son retour tragique, il n'écoutait plus leurs avis. Il ne les sollicitait plus. Un jour s'est écoulé après l'enterrement de Barbara Dong, et ensuite tout le monde est monté à cheval. À présent je faisais partie de la bande. Baïarov m'a tendu une poignée de cartouches que j'ai fourrée dans une poche de mon manteau, et une carabine que j'ai glissée dans la fonte de la selle comme si je n'avais fait que cela toute ma vie. J'avais tiré parti de mes observations, je répétais les gestes des bandits. Yee Mieticheva m'a accueillie à côté d'elle. Nous étions en tête. Je n'avais été investie d'aucune responsabilité, aucun des membres de la horde n'aurait obéi à un de mes ordres, mais j'avançais en tête, sur le flanc de Yee Mieticheva et juste derrière Baïarov. Pour l'ensemble du groupe, je devais être considérée comme une deuxième épouse de leur chef, en remplacement de Barbara Dong. Nous avons fait plusieurs haltes. Sijdrad était une agglomération éloignée sur le réseau des plaines du Garam-Hölkhög, et Baïarov avait décidé d'éviter les routes qui passaient par les bourgades plus proches, afin que notre venue à Sijdrad ne soit pas annoncée par des éclaireurs militaires ou des bavards. La contrée était déserte, le ciel écrasant, éblouissant, il faisait froid, car l'automne déjà était là, très sec et glacé. Les bivouacs étaient terriblement inconfortables. En dépit des précautions que nous avions prises, nous étions attendus à Sijdrad qui a été pour la bande de Baïarov un nouveau désastre. L'intention de Baïarov était de saccager les bâtiments principaux et d'apporter désolation et incendies, tout en essayant de tuer le maximum de miliciens qui s'opposeraient à nous. Malheureusement, personne dans la bande n'avait de bonnes connaissances de la topographie de la ville, et nous avons commencé à galoper au hasard des rues en tirant n'importe comment dans les fenêtres. Les rues étaient vides, ce qui indiquait que les habitants avaient été prévenus de notre incursion. Nous nous sommes retrouvés sur une place où les issues étaient pratiquement bloquées, sous un feu soudain et nourri, parti des toits ou d'ouvertures protégées par des boucliers de tôle et de fer. De nouveau, Baïarov était tombé dans une embuscade. Le désordre était indescriptible. De nombreux chevaux s'effondraient ou n'obéissaient plus à leur cavalier. En une minute, notre bande a été saignée d'une manière inconcevable. Comme tout le monde, j'ai riposté, mais ma carabine s'est vite trouvée sans munitions et j'étais trop maladroite et trop effrayée pour la recharger. Mon cheval tournait en rond, affolé comme moi par le danger, les détonations, le bruit des balles qui touchaient les corps, les hurlements. Avec un petit groupe, je suis ressortie de cette place mortelle. Nous étions une quinzaine. Je me rappelle que parmi nous se trouvaient des femmes que je croisais de temps en temps au village, des concubines de bandits avec lesquelles mes relations avaient toujours été pratiquement nulles. Baïarov et Yee Mieticheva galopaient derrière nous. La fusillade continuait, je pense que pour les miliciens de Sijdrad il s'agissait non plus de combattre, mais de tirer sur les bêtes et les hommes tombés à terre. Personne ne nous poursuivait. Nous nous sommes arrêtés, nous nous sommes rassemblés dans une rue assez large et Baïarov est reparti dans les profondeurs de la ville en nous ordonnant de jeter des torches et des bouteilles enflammées et de faire des dégâts autour de nous. Nous n'avions aucune torche et aucune bouteille d'essence sur nous. Ceux qui devaient se charger d'allumer des incendies étaient restés sur la place. Nous avons suivi Baïarov en reprenant la tactique misérable, inappropriée, qui consistait à tirer n'importe où, sur n'importe quelle cible. J'avais eu le temps de recharger ma carabine et je me sentais enivrée de violence et incapable de réfléchir à ce que nous étions en train d'accomplir et qui ne méritait même pas le qualificatif de militaire. Pas très souvent, mais quand même presque régulièrement, de derrière des volets partaient des balles assassines. Nous ne distinguions les tireurs qu'exceptionnellement, nous n'avons même pas su à quoi ressemblaient ceux que nous avons affrontés.

Vous avez fini par quitter Sijdrad.

Puis, après avoir traversé et retraversé quelques rues, nous sommes repartis. De temps en temps, nous croisions un cheval fou qui avait échappé au massacre, monté parfois par un bandit qui nous rejoignait sans rien dire ou s'écroulait ensanglanté sur le col de sa monture, puis glissait inanimé sur la terre dure de la chaussée. Le bilan de cette opération était catastrophique. La bande de Baïarov avait fondu. Les survivants étaient en rage contre la milice de Sijdrad et bientôt ils ont été en rage contre leur chef. Il y avait parmi la trentaine d'hommes essoufflés, qui faisaient halte à deux kilomètres de Sijdrad, plusieurs figures ombrageuses de la bande, des espèces de fortes têtes qui avaient envie de contester le pouvoir de leur chef et qui depuis longtemps haussaient le ton au village. Je ne donne pas leurs noms, je les connaissais d'ailleurs plus par leur visage que par les sobriquets guerriers sous lesquels ils appartenaient à la bande. Baïarov a senti le vent tourner, il a senti le danger, et, alors qu'il aurait pu rasseoir son autorité en abattant les hommes qui le mettaient en cause, car il avait assez d'aura encore pour faire taire les autres, il a choisi de tout laisser tomber. Il a fait un geste d'apaisement, de lassitude, d'acceptation de toute défaite, je ne sais pas, et c'était clairement remettre le pouvoir à ceux qui menaçaient de le prendre en l'éliminant. Sans un mot, il a dirigé la tête de son cheval pour qu'il quitte la route et il s'est mis à trotter en direction du sud-est. Cinq hommes l'ont suivi. Yee Mieticheva aussi. Moi aussi.

Vous étiez fidèle à Baïarov.

Nous avons tourné le dos à ceux qui allaient rentrer sans nous au village. Pendant plusieurs secondes, je les ai suspectés de vouloir nous tirer dessus, mais cela ne s'est pas produit. Il y avait eu déjà suffisamment de morts, et, de plus, Baïarov se séparait de ses dissidents sans éclat et dans des conditions plutôt lamentables, qui devaient susciter la stupeur et le dégoût plus que la colère. Mais tout de même. Je reste persuadée que les bandits préfèrent s'entre-tuer plutôt que se séparer à l'amiable, c'est une question de tempérament. Pendant ces longues secondes, j'ai eu peur de recevoir une balle dans la nuque ou entre les omoplates. L'excitation de la chevauchée dans la ville avait reflué et je tremblais nerveusement sans pouvoir me maîtriser.

Début d'une nouvelle étape dans votre existence de bandite.

Je n'étais pas fidèle à Baïarov, mais je le suivais car je n'avais aucune autre voie possible. Je ne pouvais pas m'imaginer le retour au village en compagnie de ces hommes qui avaient rompu avec Baïarov, et qui m'auraient durement fait payer mon statut de femme et mon statut de protégée de Baïarov, avec peut-être même par là-dessus le statut de sorcière. Je suivais aussi Yee Mieticheva. Sans le formuler, nous avions scellé une alliance au-dessus du corps à l'agonie de Barbara Dong. De mon côté, je la trouvais intéressante, attirante, même, et, du sien, je suppose qu'elle me trouvait inoffensive, beaucoup moins inquiétante pour elle que ne l'avait été Barbara Dong. Mais peu importe. Ainsi a débuté une nouvelle étape dans mon existence de bandite, par cette première centaine de mètres en compagnie d'un maigre reste de la bande de Baïarov, avec la peur intense d'être la cible de ceux qui restaient en arrière. Nous nous sommes dirigés au trot vers le sud-est, puis plein sud, c'est-à-dire, au-delà des plaines de Garam-Hölkhög, vers le plateau salé du Hölkhög. À supposer que des miliciens de Sijdrad aient l'intention de nous poursuivre, nous plutôt que le gros de la troupe qui retournait au village, ils nous abandonneraient dès que nous aurions pénétré dans le Hölkhög. Nous avons trotté jusqu'au soir et nous avons continué tout droit, à la nuit tombée, jusqu'à l'aube. Un vent glacial soufflait depuis l'est. Nous avons laissé sur notre gauche la route des villages de la Noire Bannière. Nous aurions pu passer par là pour nous approvisionner en farine et en munitions, mais Baïarov a préféré mettre le plus de distance possible entre Sijdrad et nous. Quand l'aube s'est levée, nous avons laissé les chevaux se reposer un peu, s'abreuver dans un petit étang et mâcher quelques touffes d'herbe à moitié gelée, et nous nous sommes assis par terre une heure ou deux, puis nous sommes repartis. Nous avions sur nous des lamelles de viande séchée et il y avait suffisamment de ruisseaux pour boire sans se rationner. Nous avons atteint le Hölkhög deux jours plus tard. Nous l'avons traversé de nuit. C'était une nuit où la lune avait à peine entamé son dernier quartier et brillait. Du désert s'exhalait une brume salée qui irritait les yeux et la gorge. Nous étions secoués et déchirés les uns après les autres par des quintes de toux. Quand nous nous arrêtions de tousser, il nous venait dans les narines et la bouche une puanteur puissante qui était notre propre odeur d'animaux en fuite. Une fois le Hölkhög franchi, nous avons erré quelques jours, jusqu'à trouver un minuscule village abandonné que nous avons investi en tant que nouvelle base. Il y avait dix maisons en pierre, une source. Deux razzias dans des hameaux isolés nous ont permis de nous installer pour l'hiver avec de la nourriture, des lampes, des couvertures. À deux journées de voyage, des bergers nous ont fait allégeance en nous promettant de nous fournir, une fois par mois, en fromage séché. Ils ont tenu parole. En échange, nous leur donnions des marmottes et des lièvres, et nous abattions les loups quand ils venaient rôder à proximité de leurs troupeaux. Des loups erraient dans la région.

Leur territoire ne comprenait pas notre village, mais il n'était pas rare d'entendre, dans les vallées voisines, des échos de hurlements. Nous avions peu de munitions, trois bandits ont été envoyés de l'autre côté du Hölkhög, de nouveau dans une vallée du Garam-Hölkhög, pour s'y procurer des balles. Ils ont mis douze jours avant de revenir.

Les noms de cette bande. Vous étiez huit. Les noms des cinq hommes qui ont suivi Baïarov.

Les noms importent peu. Shoridji Malevitch, Domar Wand, Buko Dadaniouk, Ludmil Hordathy, Jawel Bronstein. Des brutes taciturnes, qui empestaient le suint à trois mètres et ne faisaient que rarement leur toilette. Ils étaient très attachés à Baïarov, à leur général, c'était vraiment un groupe de fidèles, ils n'avaient pas hésité à partir avec lui juste après l'hécatombe de Sijdrad, à quitter le gros de la troupe. De ce côté, il n'y avait pas cette tension qui augmentait, les derniers temps, au village, et qui avait conduit à cette espèce de mutinerie sur la route de Sijdrad. Mais, si leur loyauté à l'égard de Baïarov était indéniable, elle ne les empêchait pas de montrer à quel point, Yee Mieticheva et moi, nous leur étions peu sympathiques. Ils nous considéraient comme deux sorcières qui n'allaient apporter à leur général que des complications, deux maîtresses de Baïarov qu'ils devaient tolérer mais qu'ils n'appréciaient pas.

Vous étiez devenue la maîtresse de Baïarov.

Baïarov me rendait des visites moins fréquentes que celles qu'il rendait à Yee Mieticheva, mais il venait me voir, oui. Je l'acceptais par fatalisme, et aussi parce que cela me dispensait de craindre l'agression des autres hommes de la bande. Je faisais partie des biens intouchables de leur général et, tant qu'à être violentée sexuellement, je préférais l'être par celui qui commandait et qui avait une culture d'hygiène que les autres n'avaient pas. Baïarov se lavait et même, quand il venait honorer une de ses compagnes, se passait dans le cou et sur le torse une pierre parfumée qu'il avait volée à Kirdrik et qu'il avait toujours dans une de ses poches. La pierre sentait vaguement le safran et son pouvoir odoriférant ne faiblissait pas, ç'avait été une spécialité de la région avant l'écroulement du Khorogone. Si on excepte cette coquetterie, Baïarov n'avait guère d'égards pour moi lors de ses incursions nocturnes dans ma masure. Il était peu attentif, silencieux, et ses assauts étaient rudes. Toutefois, une fois soulagé, il lui arrivait de rester allongé à côté de moi et, au lieu de dormir, il pouvait très bien se mettre à monologuer sur sa vie, par exemple il racontait des épisodes de son enfance dont il extrayait des images surprenantes, qui ne collaient pas avec son personnage de chef de voleurs et d'assassins. Orphelin, il avait été élevé dans une famille d'accueil au Khorogone, ses parents adoptifs étaient des instituteurs membres du Parti, généreux et sincères, mais il avait eu une conduite de garçon difficile pendant son adolescence, il avait accumulé les bêtises, et après l'armée il avait dérivé complètement et tourné le dos aux valeurs d'honnêteté qu'on lui avait inculquées. Il me demandait à mon tour, mais c'était rare, de lui raconter ma vie de comédienne sur les routes. Je n'étais pas bavarde là-dessus. Je ne me sentais pas capable d'évoquer une existence qu'il avait été le premier à saccager, j'avais du mal à évoquer les figures de mes camarades, ces frères et sœurs dont les bandits m'avaient séparée dans des circonstances atroces. C'était tout de même lui qui avait donné le signal de l'horreur en assassinant froidement Julius Bosch. Lorsqu'il fallait absolument parler, parce qu'il s'impatientait, je me raccrochais à mes très anciens souvenirs d'errance en compagnie de ma mère Gudrun Schubert et de ma grand-mère Wilma Schubert, mais presque rien ne m'était resté en mémoire et j'inventais la plupart des événements. Ce dont je me souvenais avec précision était toujours lié aux moments où ces deux femmes me transmettaient, à leur manière, le texte magique des vociférations. Vociférations étranges que je ne récitais jamais en présence de Baïarov, peut-être avec le sentiment confus qu'il ne méritait pas de les entendre.

Vous n'éprouviez pas de réticence, en revanche, à dire ces vociférations devant et même avec Yee Mieticheva.

En revanche, redonner vie à ces phrases en compagnie de Yee Mieticheva était quelque chose dont j'avais pris l'habitude. Yee Mieticheva avait régressé à tous points de vue depuis la mort de Barbara Dong, les fusillades délirantes de Sijdrad et la rupture avec la bande. Alors que je l'avais longtemps perçue comme une sorte de princesse du désert et des montagnes, cruelle et puissante, elle était à présent plus humble, avec des moments de puérilité et de faiblesse, et même sa beauté avait décliné. Au village, elle m'avait le plus souvent ignorée, puis elle s'était un peu rapprochée de moi, sans doute pour avoir à sa portée quelqu'un qui partagerait avec elle la jalousie qui gouvernait sa relation avec Barbara Dong, mais ici, dans ce nouveau repaire de bandits où tout était à refaire, elle cherchait visiblement à établir avec moi de bons rapports. Elle ne s'offusquait pas de voir Baïarov se rendre chez moi pour la nuit, elle me faisait d'infimes cadeaux, elle me demandait de réviser avec elle, pendant deux ou trois heures sans interruption, l'ensemble des salves de vociférations que je lui avais apprises. Nous ne disions cela que sous forme de murmures studieux, et je m'efforçais d'en désamorcer de mon mieux la charge sorcière. Autour de ces appels, de ces instructions et recommandations tantôt éloignées, tantôt très proches de la réalité, notre complicité s'était considérablement étoffée. Elle n'atteignait pas en intensité celle que j'avais pu connaître avec Maria Crow, mais il est certain que ces exercices de mémoire, de plus en plus fréquents, avaient tissé entre nous des liens, des liens intimes.

Les activités de la bande dans le nouveau village.

L'hiver est venu. Il est tombé quelques centimètres de givre et c'est tout. Baïarov venait passer la nuit tantôt chez Yee Mieticheva, tantôt chez moi. Les hommes de la bande partaient pendant la journée galoper dans les petites vallées, ou sur le haut plateau distant d'une quarantaine de kilomètres. Leurs expéditions pouvaient aussi durer plusieurs jours. Ils revenaient parfois chargés d'un mouton que des bergers leur avaient offert en échange de la protection qu'ils leur accordaient ou prétendaient leur accorder. La région était presque déserte, mais il y avait, de-ci, de-là, quelques habitations, quelques hameaux, que les hommes de Baïarov ne pillaient pas, se contentant de prélever, par la menace, une sorte d'impôt. À la lisière du plateau, des nomades se déplaçaient avec de petits troupeaux de chameaux et de chèvres. Ceux-là fournissaient aux hommes de Baïarov des femmes, leurs femmes car les jeunes filles étaient absentes, cachées dans des repaires inaccessibles ou déjà enlevées par d'autres bandes. Les nomades avaient des habitudes guerrières et résistaient beaucoup plus que les montagnards, qui savaient chasser mais pas se battre. Au cours d'un affrontement avec les chameliers, Bronstein fut tué. Hordathy, tombé amoureux d'une femme de là-bas, s'intégra à un autre groupe de nomades et ne revint plus. À vrai dire, pendant cet hiver, la bande de

Baïarov se désagrégea. Baïarov ne dirigeait plus aucune expédition, il laissait partir ceux qui restaient, Malevitch, Wand, Dadaniouk, et, quand ceux-ci avaient quitté le village, il nous proposait de longues chevauchées, à Yee Mieticheva et à moi, des promenades sans but, dans des endroits dangereux mais magnifiques, à travers des passes étroites, sur des sentiers rocailleux qui dominaient des ravins vertigineux. Nous allions en silence pendant des heures. Tout était glacial autour de nous. Nous nous protégions avec des linges et des écharpes. Le vent aigre nous fendillait ou nous ridait les paupières qui étaient, dans notre visage, et finalement dans notre corps, la seule partie exposée au froid. La lumière était éblouissante. Nous ne pensions pas à retourner à notre point de départ et il nous arrivait fréquemment de devoir passer la nuit dans les montagnes. La voix des loups était souvent beaucoup plus proche que lorsque nous dormions au village. Nous allumions un feu de camp avec trois bouts de bois, nous partagions un mélange d'eau chaude et de poudre de viande, et nous nous serrions les uns contre les autres sans prononcer une parole. Les chevaux étaient résistants mais nous veillions à les traiter le mieux possible. Quand les randonnées s'allongeaient, nous ne forcions pas leurs limites, et, de toute manière, les chemins nous obligeaient souvent à mettre pied à terre. Un jour, alors que nous progressions le long d'une pente escarpée, avec sur notre gauche un ravin, le cheval de Baïarov a trébuché et a commencé à glisser en direction de l'abîme, et, en le tirant par la bride, Baïarov s'est mis lui aussi à déraper sur les cailloux et le gravier. Yee Mieticheva a crié un avertissement qui ne servait à rien. Pendant trois ou quatre secondes, la monture de Baïarov s'est débattue, Baïarov a tenté de retrouver son équilibre. Ils ont bruyamment accompagné la coulée de pierraille qui ne leur offrait plus aucun appui, et ensuite tous deux, bête et homme, ont regardé le ciel et ont basculé dans le gouffre.

Vous êtes revenues au village.

Notre retour a été somnambulique. L'accident avait eu lieu en fin d'après-midi, nous étions loin du village, nous avons dû bivouaquer au milieu de nulle part, sans pouvoir allumer de feu car Baïarov avait emporté dans sa chute le sac où nous remisions un peu de bois et les miettes de viande. Les loups hurlaient à moins d'un kilomètre. Ils devaient s'échanger des informations sur nous et sur les cadavres de Baïarov et de son cheval. Nous n'arrivions ni à dormir, ni à parler. Une fois au village, nous avons eu un moment de soulagement en constatant que les autres n'étaient pas encore revenus de leur expédition. En dehors de l'espèce d'abrutissement où nous plongeait la disparition de Baïarov, nous étions extrêmement inquiètes en pensant à ce qui allait maintenant nous arriver. Nous avions pu jusque-là établir des relations non conflictuelles avec ces trois hommes, Shoridji Malevitch, Domar Wand, Buko Dadaniouk, mais ils ne nous avaient jamais été sympathiques. L'absence de leur général allait nous mettre en position de grande faiblesse face à eux, qui, de leur côté, ne nous avaient jamais appréciées. Brusquement, nous n'allions plus être que deux femmes à la merci de trois bandits. Nous avons décidé de rassembler de la nourriture, les produits indispensables pour tenir longtemps à l'écart de tout, avec évidemment deux carabines et des munitions. Notre intention était de quitter la région, peut-être pour de nouveau traverser le Hölkhög, et rejoindre une ville plutôt que chercher à intégrer une nouvelle horde. Seulement, comme les bêtes étaient fatiguées, nous avons différé notre départ, et, pour notre malheur, les trois hommes sont arrivés. La nuit tombait. Une fois mis au courant de la situation, ils ont dessellé leurs chevaux, les ont soignés et se sont rassemblés dans la maison de Dadaniouk. Je me trouvais dans la maison de Yee Mieticheva. Nous étions prêtes à partir mais nous n'avions pas fait part de notre intention aux bandits. Nous ne savions pas trop quel genre de discours tenir à propos de Baïarov et à propos de notre avenir immédiat. Et c'est alors que Yee Mieticheva s'est tournée vers moi, m'a fixée de son regard perçant, soudain noyé, et m'a dit qu'elle me considérait comme sa sœur. Cela ne contredisait pas ce que nous avions vécu ces derniers mois, mais j'ai été troublée par cette déclaration. Je me rendais compte que Yee Mieticheva avait perdu une grande part de sa force. De belle princesse sorcière elle était devenue une femme qui avait peur. Nous nous sommes donné une accolade prolongée. Chacune avait besoin de l'autre.

Vous n'êtes pas parties. Vous auriez pu partir.

Nous aurions dû partir sans plus attendre, profiter de la nuit, nous éloigner. Nous sommes restées. Au matin, les bandits sont venus nous demander si nous avions le projet de rester au village. Je leur ai annoncé que nous allions retraverser le Hölkhög et tenter de reprendre quelque part une vie normale. Ils s'étaient concertés et ma réponse ne leur a pas convenu. Ils nous ont confisqué nos armes et ils nous ont interdit de sortir du village. Plus tard nous avons constaté qu'ils avaient regroupé les chevaux et que nous aurions du mal à nous en emparer pour nous enfuir. Nous pouvions aller et venir entre les masures, nous laver dans le ruisseau, organiser notre temps comme nous l'entendions, mais nous étions leurs prisonnières. Puis ils nous ont séparées, et, pendant quatre jours, ils nous ont violées.

Leur puanteur, leur brutalité.

Je ne peux pas oublier leur puanteur, leur brutalité, mais je peux éviter d'en parler. Ils m'avaient attaché les mains à un anneau dans le mur. Ils me détachaient pour que je mange avec eux, que j'aille soulager ma vessie ou mes intestins, que j'aille faire ma toilette, puis ils me raccrochaient au mur. Lorsque j'étais libre, ils ne relâchaient guère leur surveillance. À aucun moment ils ne nous libéraient en même temps, Yee Mieticheva et moi. Le fait qu'ils continuaient à nous nourrir indiquait qu'ils voulaient nous garder longtemps à leur disposition, et que cette horreur allait durer. Le quatrième jour, alors que Malevitch m'avait chevauchée comme un porc puis m'avait autorisée à me lever, à me rhabiller grossièrement et à aller faire un tour jusqu'au ruisseau, je l'ai laissé chez moi, de bonne humeur après son orgasme, et j'ai parcouru les trente mètres qui séparaient ma masure de la sienne. Je ne savais pas très précisément comment j'allais agir, j'allais de l'avant en urgence. J'ai poussé la porte de chez lui, je me suis emparée d'une carabine et je me suis postée à la fenêtre. Malevitch est arrivé en courant. Je crois qu'il vociférait, je ne me rappelle plus, ou alors mon souvenir s'est alourdi de fantasmes, en tout cas, ce qu'il vociférait n'avait rien d'étrange ni de poétique. Il n'était plus de bonne humeur et il m'insultait. Je l'ai abattu de deux balles en pleine poitrine et il s'est affalé devant la porte. Comme aucun des deux bandits qui restaient n'avait assisté à la scène, j'ai eu la présence d'esprit de reculer vers l'intérieur de la maison, afin de ne pas révéler ma position. Présence d'esprit, mais je ne réfléchissais absolument pas. De toute ma vie, je crois que je n'avais jamais eu autant d'intelligence tactique. Je le souligne sans fierté, mais je le souligne. Cela a pesé dans l'enchaînement des événements. Dadaniouk, qui se trouvait jusque-là je ne sais où, est apparu en terrain découvert avec une carabine. C'était un excellent tireur. Quand il a aperçu la dépouille de Malevitch, il s'est approché avec prudence, en scrutant toutes les directions, mais sans imaginer que le coup fatal était parti de la maison de son camarade. Il me suspectait d'avoir tiré depuis chez moi et d'être toujours dissimulée entre les murs. C'est pourquoi il est venu rôder dans des endroits d'où il pourrait, tout en étant protégé, avoir pour cible la porte, la fenêtre ou les environs immédiats de ma maison. Il est arrivé près de Malevitch, il s'est accroupi une demi-minute à l'abri d'un tas de pierres, puis il s'est encore déplacé et il a été dos à ma carabine, à moins de dix mètres. Je n'ai pas tergiversé et j'ai pressé la détente. Il a sursauté et il a fait volte-face comme si je l'avais raté, mais déjà je commençais à décharger tout le magasin en prenant le haut de son corps pour cible. Il a lâché son arme et il s'est plié en deux. Je me suis arrêtée de tirer. J'avais les mains horriblement tremblantes, mais, quand je l'ai vu allongé dans la poussière et le givre, je l'ai achevé en prenant le temps de bien viser sa tête. Je dis que je l'ai achevé mais il est très probable que là, je l'aie vraiment raté. Je venais de tuer deux de nos tortionnaires violeurs. Le dernier, Domar Wand, se trouvait encore dans la maison de Yee Mieticheva, et il n'apparaissait pas. Je pense que, de toute façon, même s'il s'était brusquement matérialisé en face de moi, je n'aurais pas pu me servir de la carabine. J'ai essayé de me maîtriser, de combattre mes frissons, de reprendre ma respiration. Je me sentais terrorisée, épuisée et vide. J'avais la chair de poule. Mes jambes ne me soutenaient plus. J'avais la nausée. Pour ne pas rester exposée à la fenêtre, je me suis de nouveau reculée dans l'ombre de la maison, puis je me suis assise sur la paillasse de Shoridji Malevitch, puis j'ai vomi dessus, puis je me suis écartée des vomissures et je suis allée m'adosser au mur. Je me suis laissée glisser jusqu'au sol. Je n'arrivais pas à me concentrer sur ce que je devais faire en urgence pour éviter d'être tuée par Wand et sauver Yee Mieticheva, en tout cas pour me sauver moi-même. Je ne songeais à rien de pratique, je ne prenais aucune initiative, par exemple je ne me suis pas mise à chercher des cartouches pour recharger mon arme. J'avais les mains crispées sur la carabine que je n'avais même pas abandonnée pour vomir, mais j'étais incapable de vérifier si elle était vide ou non. S'il restait encore une ou deux balles dans le magasin.

Vous deviez entendre ce qui se passait de l'autre côté des murs. À l'extérieur, dans la rue.

J'entendais les chevaux énervés qui piaffaient dans l'écurie.

Le dernier bandit.

J'entendais les chevaux, ils bronchaient, ils tapaient du sabot sur la terre dure. Wand, le dernier bandit, ne se manifestait pas. Il ne sortait pas de chez Yee Mieticheva. Il avait sans doute jeté un coup d'œil par la fenêtre, il avait vu les cadavres de ses deux camarades et il en avait conclu qu'un tireur était embusqué quelque part et ne faisait pas de quartier. Il pensait peut-être à moi, mais, vraisemblablement, il imaginait qu'il s'agissait d'une agression extérieure et que près du village, ou dans le village, se cachaient un et peut-être plusieurs bergers ou nomades décidés à en finir avec ceux qui les rackettaient. Il avait dû venir sans armes chez Yee Mieticheva, et, maintenant, il n'osait pas traverser la rue pour récupérer dans une des masures de quoi se défendre. Les armes ne manquaient pas au village, mais, chez Yee Mieticheva et chez moi, à partir du moment où nous étions devenues des femelles pour satisfaire leurs besoins sexuels, elles avaient été mises hors de notre portée. Je suppose que Wand attendait que la nuit tombe pour tenter une sortie. En plein jour, il aurait été une cible beaucoup trop facile. Il attendait et les heures passaient. Les heures passaient et je retrouvais mon calme. J'ai fouillé parmi les affaires de Malevitch, j'ai retiré des cartouches d'une cartouchière de l'armée et je les ai introduites dans le chargeur de ma carabine. L'après-midi allait vers sa fin. La pièce puait horriblement le suint et le vomi. J'ai décidé de sortir par l'arrière de la maison, hors de la vue de Wand si celui-ci était toujours enfermé chez Yee Mieticheva. J'ai contourné l'écurie. Je m'efforçais de me déplacer le plus silencieusement possible. La lumière s'atténuait. Le crépuscule s'avançait. J'avais mal aux doigts, à force de les serrer contre la carabine, mal aux mains, mal aux jambes, et toujours la nausée, mais je ne tremblais pas.

Détails superflus. Votre plan de combat si vous en aviez un. Votre intention. Ce qui s'est passé avant la tombée de la nuit.

Je n'ai aucune aptitude pour la chasse, je n'avais jusque-là jamais participé à une action guerrière, sinon lors de l'expédition de Sijdrad où j'avais mitraillé n'importe comment, dans la confusion et l'exaltation. Je me suis postée entre deux maisons, et, dissimulée derrière un petit empilement de pierres, j'ai surveillé la masure de Yee Mieticheva, à une vingtaine de mètres de l'autre côté de la rue. Il n'en sortait aucun bruit, la fenêtre était entrouverte, tout paraissait abandonné. La lumière a encore baissé. Je me suis demandé qui, désormais, allumerait des lampes à huile dans le village. Et c'est alors que Domar Wand m'a tiré dans le dos. J'ignore à quel moment il avait quitté la masure de Yee

Mieticheva, et combien de temps il était resté caché, à guetter, et où il avait choisi de s'abriter, dans quel angle obscur que je n'avais pas remarqué. Il a tiré deux balles. J'ai senti la brûlure, l'éclatement de mon dos et de mes poumons, et je me rappelle que j'ai eu le désir de me retourner, de lever la tête pour voir une dernière fois le ciel. Je me rappelle même que j'ai pensé que je faisais comme Baïarov qui, avant de basculer dans le vide avec son cheval gris, avait levé les yeux vers le haut sans plus regarder la terre. J'espérais distinguer les premières étoiles ou la lune, mais, finalement, mon visage a cogné contre les pierres et la dernière image pour moi a été celle d'une arête d'ardoise qui venait de m'entailler la joue. Wand s'est approché, il m'a donné un coup de pied dans le ventre, mais je n'ai rien senti. Il parlait, mais je n'entendais rien. J'étais presque totalement inconsciente, puis je l'ai été totalement.

La suite puisqu'il y a eu une suite.

Plus tard j'ai repris conscience. Le lendemain, ou plutôt le surlendemain. Le village était vide. Wand avait abandonné les morts derrière lui, il avait emmené avec lui toutes les armes, les chevaux et assez de couvertures et de nourriture pour faire du troc pendant des mois et, de toute façon, pour repartir seul à l'aventure.

Il n'emmenait pas avec lui Yee Mieticheva.

Il avait tué Yee Mieticheva. Je l'ai découverte attachée encore à un anneau du mur, très peu vêtue, la tête en bouillie.

Vous aviez reçu deux balles dans le dos. Vous vous étiez écrasé la figure sur un tas d'ardoises. Vous aviez une coupure profonde de la tempe au menton. Vous étiez restée inconsciente quarante-huit heures.

Après m'être traînée jusqu'à la maison de Yee Mieticheva, je me suis de nouveau évanouie. Le temps a passé.

Je me suis réveillée en pleine nuit. J'avais énormément de mal à respirer et une soif atroce. Il y avait une casserole d'eau à côté de la paillasse de Yee Mieticheva. J'ai rampé jusque-là et j'ai bu. Dans le silence nocturne, j'ai entendu des froissements, des grognements. Des loups étaient entrés dans le village et se partageaient les dépouilles de Dadaniouk et de Malevitch, car en quittant les lieux Wand ne s'était pas donné le souci de leur offrir une sépulture. Il les avait laissés tranquilles, peut-être avait-il pensé que les loups les flaireraient de loin et s'en occuperaient. Ou peut-être n'avait-il même pas pensé à ce que deviendraient les cadavres. Il est vrai que, depuis que j'avais été intégrée à la bande de Baïarov, je n'avais jamais vu personne prendre soin des morts. Seule Barbara Dong avait eu droit à une tombe, et encore, on peut dire qu'elle avait été très sommaire. J'ai entendu les loups trotter dans ce qu'on peut appeler la rue du village. D'après les bruits, je ne crois pas qu'ils aient été très nombreux. Ils devaient être trois. L'un d'eux a gratté près de la porte de Yee Mieticheva mais n'a pas insisté. Ils avaient suffisamment à faire avec les hommes couchés devant la maison de Malevitch. La présence des loups, je ne sais pourquoi, a provoqué en moi une brève vague d'optimisme. J'avais pu me mettre à l'abri avant leur arrivée. Je me suis répété cela pendant une longue minute. Alors que depuis mon réveil j'avais agi comme une morte plus que comme une blessée, j'avais soudain la certitude rassurante de ne pas avoir été tuée, de continuer à vivre. Je me suis mise à penser à la vie, à ma survie, jusqu'à ce que des douleurs insupportables me cisaillent la poitrine, comme pour me signaler que survivre, malgré tout, comportait des inconvénients, parmi lesquels on compte la souffrance et parfois une souffrance horrible.

Vous ne pouvez pas vous empêcher de lâcher des considérations inutiles.

J'ai gémi. Cela a énervé les loups, l'un d'eux est de nouveau venu renifler au bas de la porte. Je me suis évanouie une nouvelle fois. Plus tard, je suis revenue à moi. La lune éclairait la pièce. C'était peut-être la même nuit, ou peut-être la nuit suivante. Je n'entendais plus rien à l'extérieur. Je sentais mon corps à la dérive, comme étranger à moi. J'avais très soif. J'ai fini l'eau de la casserole, le fond qui restait. C'était comme si les douleurs dans ma poitrine, dans mon dos, faisaient partie d'un personnage que j'interprétais sans réussir à bien l'incarner.

Une spéculation comme une autre. Ensuite.

J'avais sur la figure des croûtes de sang. Je me suis assise, puis, avec beaucoup d'efforts, je me suis mise debout. J'ai contourné Yee Mieticheva et je suis allée m'adosser à la porte. À la lumière de la lune, tout était assez net dans la pièce. Je dominais le corps de Yee Mieticheva. Je ne sais pas pour le mien, mais il me semble que le corps de Yee Mieticheva avait commencé à exhaler une légère odeur de mort. En dépit de la température basse, et elle était vraiment basse car dehors la terre gelée et le givre se resserraient et craquaient sous l'action de la nuit et de la lune, les chairs de Yee Mieticheva avaient commencé à se dégrader. Pas au point de rendre l'atmosphère irrespirable, mais le processus avait débuté, évidemment. J'étais en face d'elle, je la dominais, je la regardais. J'essayais de ne pas promener les yeux sur ce visage dans lequel Wand avait tiré à bout portant. Je haletais, chaque halètement me coûtait. J'ai toutefois rassemblé un peu d'énergie pour m'adresser à Yee Mieticheva. Je lui ai dit qu'elle était ma petite sœur, ce qui devait sans doute lui faire plaisir, puis j'ai entamé la récitation de quelques vociférations étranges. SI TU TE SENS FRÉMIR, MEURS, AVANCE, FRAPPE ! LA MORT PLUTÔT QU'UN DEUXIÈME FRÉMISSEMENT ! PETITE SŒUR, AVANCE SANS FRÉMIR, AVANCE, FRAPPE !

Votre public.

Les loups étaient partis, ils avaient dû traîner les cadavres sur quelques dizaines de mètres à l'extérieur du village, puis ils les avaient abandonnés. Peut-être avaient-ils l'intention de revenir la nuit suivante. Peut-être étaient-ils rassasiés d'une viande qui ne leur plaisait pas forcément. En tout cas, ils n'étaient plus là. Il n'y avait plus personne au village. Yee Mieticheva était mon unique auditrice. J'ai parlé à mi-voix, comme nous avions eu l'habitude de le faire toutes les deux. METS TES DOUBLES DANS TON DEUXIÈME VENTRE ! OUBLIE TES DOUBLES DE CHAIR, METS-LES DANS TON DEUXIÈME VENTRE ! QUAND LA FIN APPROCHE, METS TES DOUBLES DANS TON DEUXIÈME VENTRE ! OUBLIE TES DOUBLES DE CHAIR, METS-LES DANS TON DEUXIÈME VENTRE ET CALCINE-LES ! Je m'interrompais quand je n'avais plus de force. Je restais de longs moments silencieuse. Dehors, dans la rue, aucun bruit, même pas le moindre souffle de vent. Je n'avais pas pu longtemps rester debout contre la porte. Sans me rappeler exactement quand le changement de position s'était produit, je me suis retrouvée assise par terre. La lune entrait à flots par la fenêtre. Je voyais les ombres très noires que formaient des débris, des creux dans le sol, des brins de paille, des couvertures, la casserole, les jambes égratignées de Yee Mieticheva, ses mains attachées contre le mur. La tête de Yee Mieticheva était renversée par-dessus son épaule et j'avais la chance, depuis l'endroit où je me trouvais, de ne pas devoir contempler son masque déchiqueté. Yee Mieticheva était une poupée immobile comme dans une mise en scène que nous avions tentée avec Sorj Avakoumiane, une saison, avant notre entrée au Khorogone. Je faisais allusion à une époque lointaine et je me rendais compte que cette époque se superposait avec insistance à mon présent. Il me semblait que j'étais de nouveau sur les planches, à réciter des répliques bizarres devant une poupée lugubre. Je ne peux pas dire que je savourais cette sensation de ne plus pouvoir m'accrocher au présent, de ne plus savoir quelle était réellement ma situation réelle et actuelle, je ne peux pas dire que je la savourais, non, mais, comme cela s'accompagnait d'un affaiblissement de la douleur, je ne cherchais guère à désembrouiller les choses. Mon esprit dérivait vers le passé. Je me sentais aimantée par le gouffre du passé, je glissais ailleurs que vers la continuation du présent. À chaque souffle je me demandais si mon agonie n'était pas déjà terminée.

Enfin quelque chose de sensé. Vous avez mis le temps.

Les vociférations étranges se présentaient à moi dans le désordre, accompagnées de souvenirs qui n'avaient plus guère de rapport avec le village, avec la bande de Baïarov, avec les fusillades récentes, avec le martyre récent que nous avions subi, Yee Mieticheva et moi. Les vociférations étranges arrivaient lentement ou très vite, séparément ou par salves. Je dis lentement ou vite parce qu'il n'y avait plus aucune différence entre lenteur et vitesse et parce que je ne possédais plus en moi les outils pour les mesurer. Je dis isolément ou par strophes parce que tout était à la fois distinct et confus. C'était comme si les contraires n'existaient plus. Nous étions baignées de clarté lunaire, Yee Mieticheva et moi, et, en même temps, j'étais seule. J'étais sur une scène de théâtre et je donnais une représentation devant un public attentif, mais, en même temps, devant moi, il n'y avait personne.

On a compris. N'accumulez pas les exemples. Les contraires n'existaient plus. C'est vous qui avez tardé à comprendre. Après le décès, les contraires n'existent plus. C'est bien connu.

Je dis il n'y avait personne, mais, en réalité, il y avait une petite tache, à un mètre de moi, une minuscule tache pétrifiée en pleine flaque lunaire, une toute petite araignée. Je n'ai jamais entretenu la moindre relation de sympathie envers ces bêtes, mais celle-là ne m'a pas répugnée. Je me rendais compte, obscurément, qu'elle jouait un rôle dans mon histoire.

Elle ne jouait aucun rôle. Simplement, c'était l'unique créature vivante à l'intérieur de la pièce.

L'unique créature vivante à l'intérieur de la pièce. J'admets que j'avais peut-être déjà basculé dans le monde d'après le décès. J'étais peut-être déjà morte. Je ne me posais pas la question, je ne me souciais pas de vérifier si mon cœur battait encore, mais oui, j'étais peut-être déjà morte.

Quelque chose de sensé, enfin, même si vous exprimez encore quelques doutes absurdes. Vous avez mis le temps.

Pourtant je continuais à dire des phrases.

Quelles phrases.

Par exemple QUEL QUE SOIT LE RÊVE, OUBLIE-LE ! QUELLE QUE SOIT LA LANGUE, NE PARLE PAS ! QUELLE QUE SOIT LA ROUTE, FAIS DEMI-TOUR ! QUELLE QUE SOIT TA MORT, N'ATTENTE PAS À TA MORT !

Une ultime régurgitation de votre mémoire.

Même en ce moment, je peux continuer à dire des phrases.

Non: C'est fini.

Par exemple FERME EN TOI LE MUSEAU VIF, APPRENDS L'ARAGNE ! EN TOI SEULE L'ARAGNE VIVE MÉRITE QU'ON L'OUBLIE !

Non. Maintenant vous allez vous taire, Éliane Schubert. Vous allez passer à autre chose. C'est fini. Maintenant vous allez continuer à marcher, mais c'est autre chose. C'est ailleurs. Maintenant vous pouvez reprendre la route. Maintenant c'est moi qui parle.

Par exemple APRÈS LA FIN DE TOUT VOYAGE, REPRENDS LA ROUTE !

Non. Taisez-vous. Maintenant, c'est moi qui parle.

APRÈS LA FIN DE TOUT VOYAGE, REPRENDS LA ROUTE !

APRÈS LA FIN DE LA ROUTE, REPRENDS LA ROUTE !

METS TES RESTES À L'ABRI !

RETOURNE À LA GRANDE-NICHÉE !

# VOCIFÉRATIONS

*cantopéra*

# 1

1. AVANCE JUSQU'AU SEIZIÈME SANGLOT !
2. AVANCE AVEC OU SANS LES MAINS RIDÉES !
3. PEU IMPORTENT LES RIDES SUR TES ÉPAULES !
4. PEU IMPORTENT LES RIDES SUR TES CHEVEUX !
5. AVEC FRACAS AVANCE JUSQU'AU SANGLOT NUMBER SEIZE !
6. AVANCE SANS LES ÉPAULES !
7. AVANCE AVEC FRACAS SANS LE CŒUR QUI BAT !
8. ATTEINS LE SEIZIÈME SANGLOT ET ÉTEINS-LE !

## 2

9. RÉFRÈNE EN TOI LE SANGLOT NUMBER DIX-SEPT !
10. PETITE SŒUR, OUBLIE EN TOI LES DIX-SEPT SANGLOTS !
11. NE RECULE JAMAIS JUSQU'AU SANGLOT NUMBER ONE !
12. LE SANGLOT NUMBER ONE, OUBLIE-LE !
13. AU MATIN LES ÉPAULES SE RIDENT, AU SOIR LE CRÂNE SE FRACASSE !
14. AU MATIN DIX-SEPT SANGLOTS, AU SOIR LE SANGLOT NUMBER ONE !

# 3

15. ALARME SUR LE CROISEUR GUENILLE !
16. ALARME SUR LES OURSES DE CHAIR !
17. ALARME SUR LES VIANDES EN MARCHE !
18. ALARME SUR MARIYA L'ÉPERVIÈRE !
19. ALARME SUR PETITE SŒUR PLUVIÔSE !
20. ALARME SUR LE CHIEN NUMBER ONE !
21. ALARME SUR SARIYA CONTAINER !

# 4

22. QUAND PASSE MALIKA OSSORGONE, FRACASSE LES VIANDES EN MARCHE !
23. QUAND PASSE MALIKA OSSORGONE, OUBLIE TES SANGLOTS ÉTRANGES !
24. OUBLIE TES SANGLOTS ÉTRANGES JUSQU'À L'ULTIME !
25. DEVANT MALIKA OSSORGONE, OUBLIE L'ULTIME SANGLOT !

# 5

26. N’IRRIGUE PAS BIELA FREEK AVEC TON SANG !
27. N’IRRIGUE PAS BIELA FREEK AVEC LE SANG DE BIELA FREEK !
28. NE TOUCHE PAS BIELA FREEK !
29. NE REGARDE PAS BIELA FREEK !
30. QUELLE QUE SOIT L’HEURE, NE REGARDE PAS BIELA FREEK !
31. DEVIENS BIELA FREEK !

# 6

32. AVOINE MAAHLER N'EXISTE PLUS !

33. N'APPRENDS PAS À ÊTRE L'AMIE D'AVOINE MAAHLER !

34. NE TOUCHE PAS AVOINE MAAHLER !

35. NE REVIENS PAS À L'AN ZÉRO, DÉGUISE-TOI EN AVOINE MAAHLER !

36. EN ROUTE VERS LE RIEN, OUBLIE AVOINE MAAHLER !

37. EN ROUTE VERS LE RIEN, SUIS LES TRACES D'AVOINE MAAHLER !

# 7

38. COMPTE LES SOLDATS GUENILLE PAR GUENILLE !
39. COMPTE LES SOLDATS FOULE À FOULE !
40. COMPTE LES SOLDATS DE ZÉRO À UN !

# 8

41. SI TU SURVIS ENCORE, VA MOURIR DANS LE SABLE ÉTRANGE !
42. SI LA MOUETTE NE S'ÉTEINT PAS, ACCOMPAGNE SON CRI !
43. ACCOMPAGNE LE CRI, JAMAIS NE LE DÉCHIFFRE !
44. PETITE SŒUR DE LA MOUETTE, CRIE, ÉTEINS-TOI !
45. SI TU AIMES LA SŒUR DE LA MOUETTE, NE DÉCHIFFRE PAS SON CRI, ÉLOIGNE-TOI !
46. POUR UNE MOUETTE MAL ÉTEINTE, MILLE MOUETTES TRÈS-BLANCHES CRIENT TON NOM !
47. POUR UNE MOUETTE MAL ÉTEINTE, MILLE MOUETTES TRÈS-NOIRES CRIENT TON NOM !

# 9

48. SI NULLE ÉPEIRE NE CRIE TON NOM, ÉLOIGNE-TOI !

49. PETITE SŒUR, PETITE SŒUR DE L'ÉPEIRE, CRIE MON NOM !

50. SI TU AIMES LA SŒUR DE L'ÉPEIRE, CRIE MON NOM, AIME-MOI !

# 10

51. NE RÊVE PAS LES RÊVES NON ÉTRANGES !
52. N'OUBLIE PAS LES RÉALITÉS ÉTRANGES !
53. N'OUBLIE AUCUNE ALLIÉE ÉTRANGE !
54. VA JUSQU'AUX REFUGES ÉTRANGES !
55. SUIS LA SŒUR DE L'ÉPEIRE VERS SES REFUGES ÉTRANGES !
56. SI TU AS L'ÉPEIRE EN TOI, MANGE LA GLAISE ÉTRANGE !
57. MANGE LA GLAISE ÉTRANGE JUSQU'À LA LIE !

# 11

58. ASSASSINE EN TOI L'ÉPEIRE, MANGE SA GLAISE JUSQU'À LA LIE !
59. QUITTE LA NEF NUMBER QUINZE, TRAVERSE LA GLAISE, VOYAGE VERS LA LIE !
60. VOYAGE AVEC L'ÉPEIRE JUSQU'À LA LIE !
61. CHEVAUCHE L'ÉPEIRE !
62. QUITTE LA NEF NUMBER QUINZE, CHEVAUCHE L'ÉPEIRE !
63. AVEC LES OURSES DE CHAIR, CHEVAUCHE L'ÉPEIRE !
64. EN ROUTE VERS LE RIEN, N'ÉPARPILLE PAS L'ÉPEIRE !

## 12

65. SORS DE L'EAU, CHANTE LES CHANTS, LAVE-TOI !
66. SORS DE L'EAU, REGARDE LA LUNE, LAVE-TOI !
67. LE FEU D'AUTOMNE APPROCHE, LAVE-TOI !
68. CHANTE SOUS LA LUNE !
69. NETTOIE SUR TOI LES FLAMMES DE L'AUTOMNE, LAVE-TOI !
70. NE CROIS PAS AU MURMURE DES FLAMMES, LAVE-TOI !
71. SI LA LUNE APPROCHE, TUE-LA !
72. SI QUELQU'UN COURT VERS LA LUNE, OUVRE LES BARRIÈRES, LAVE-TOI, TUE-LE !

## 13

73. EN CAS DE MALHEUR, NE TE RÉINCARNE PAS À LA VA-VITE !

74. NE TE RÉINCARNE PAS EN MARYIAM MINAHUALPA !

75. NE TE RÉINCARNE PAS EN BOUYÏNE BALKACHINE !

76. EN CAS DE MALHEUR, OUVRE TA GOURDE LACRYMALE ET ATTENDS LA SUITE !

77. SI LE MALHEUR SURVIENT, N'AGONISE QU'À BON ESCIENT !

78. MARCHE À PAS MENUS VERS L'AMIE ÉVANOUIE !

79. SOLIDIFIE TA MAIN GAUCHE, SOLIDIFIE TES PROPRES OS !

80. MARCHE VERS L'AMIE ÉVANOUIE ET N'AGONISE PAS !

81. RAMASSE TES OMBRES, MARCHE À PAS MENUS ET N'AGONISE PAS !

82. SI L'AMIE ÉVANOUIE T'ACCORDE LA VIE SAUVE, SUSPENDS-TOI À TES PROPRES OS ET ATTENDS !

83. SI LE MALHEUR T'ACCORDE LA VIE SAUVE, PENDS-TOI À TES PROPRES OS ET ATTENDS LA SUITE !

84. SI TU RENCONTRES BOUYÏNE BALKACHINE, AGONISE À LA VA-VITE !

# 14

85. SI TU RENCONTRES MYRIAM DAHALIANE, SOLIDIFIE-TOI ET APPRENDS LE MALHEUR !
86. SI TU RENCONTRES MYRIAM DAHALIANE, IL SERA EXACTEMENT MALHEUR, ZÉRO SECONDE !
87. AU QUATRIÈME CRI, IL SERA EXACTEMENT MALHEUR, ZÉRO SECONDE !
88. SI L'AMIE ÉVANOUIE S'ÉVANOUIT, ÉVANOUIS-TOI !
89. SOUS LE REGARD DE MYRIAM DAHALIANE, TA DERNIÈRE OMBRE FUIT À GRANDS PAS !

# 15

90. NE RETARDE PAS L'HEURE DU SILENCE !
91. BRANDIS TES VISAGES AU-DESSUS DE TA TÊTE, VA AU SILENCE !
92. AVEC OU SANS VISAGE, MARCHE JUSQU'AU SILENCE !
93. NE RETARDE PAS L'HEURE DE TON VISAGE !
94. NE RETARDE JAMAIS L'HEURE DE TON VISAGE !

# 16

95. CELLE QUI DÉSARTICULE LE LANGAGE EN TOI, ENFLAMME-LA !

96. CELLE QUI CHANTE DERRIÈRE TOI, ENFLAMME-LA !

97. NE MARCHE PAS SANS FLAMME EN TOI !

98. CELLE QUI S'APPELLE LUNE-TRENTE, PASSE-LA À LA FLAMME !

99. QUAND LA FLAMME DÉSARTICULE LE LANGAGE EN TOI, ENFLAMME-LA !

100. APPRENDS L'OUBLI ! APPRENDS LA MÉMOIRE !

101. N'HABITE JAMAIS PLUS LA FLAMME, OUBLIE TOUT !

102. EN TOI SEUL L'OUBLI MÉRITE QU'ON S'EN SOUVIENNE !

103. CELLE QUI MUTILE EN TOI L'OUBLI, ENFLAMME-LA !

104. MUTILE EN TOI LA MÉMOIRE JUSQU'À L'ARAGNE !

105. TU ES UNE VITRE, BRISE-TOI EN VITREUX FRAGMENTS !
106. TU ES UN MIROIR, MUTILE EN TOI CENT ONZE REFLETS !
107. CHANTE, FLAMBE, FLAMBE TRÈS FORT, OUBLIE TOUT !
108. CHANTE LE CHANT JUSQU'À L'ULTIME ARAGNE !
109. L'ULTIME ARAGNE, ENFLAMME-LA !
110. CHANTE TOUT, OUBLIE TOUT !
111. LA DEMOISELLE TRENTE T'APPELLE, OUBLIE TOUT !
112. LUNE-TRENTE T'APPELLE, ENFLAMME-TOI, OUBLIE TOUT !
113. CELLE QUI INVOQUE L'OUBLI EN TOI, OUBLIE-LA !
114. CELLE QUI INVOQUE L'OUBLI EN TOI, DONNE-LUI L'ARAGNE !
115. TU ES UNE FLAMME, MUTILE EN TOI LES FEUX KIZGHILS !
116. CELLE QUI FLAMBE DERRIÈRE TOI, ENFLAMME-LA !

# 17

117. FERME EN TOI LE MUSEAU VIVANT !

118. FERME EN TOI LE MUSEAU VIF, APPRENDS L'ARAGNE !

119. EN TOI SEULE L'ARAGNE VIVE MÉRITE QU'ON L'OUBLIE !

120. CELLE QUI OUVRE EN TOI LE MUSEAU VIF, REGARDE-LA, OUBLIE-LA !

# 18

121. CELLE QUI A PRIS TON VISAGE, DIS-LUI TON NOM !
122. CELLE QUI A PRIS TON VISAGE, VOLE-LUI SON VISAGE ÉTRANGE !
123. TU ES UNE VITRE, NE REFLÈTE AUCUN VISAGE ÉTRANGE !
124. CACHE-TOI DANS LA TERRE AVEC TON VISAGE ET TES VIANDES !
125. PETITE CHRYSALIDE, DORS AVEC TON VISAGE ET TES VIANDES !
126. DORS, OUBLIE TON VISAGE ÉTRANGE !
127. RABOTE CE QUI RESTE EN TOI !
128. RABOTE TOUT, RABOTE LE VISAGE ÉTRANGE !
129. SI TU VAS DANS LA TERRE, DIS LES MOTS ÉTRANGES, EMPORTE TON VISAGE ET TES VIANDES !
130. CELLE QUI A PRIS TON VISAGE, RABOTE-LA !
131. RESPIRE LA TERRE !

132. ENTRE DANS LA TERRE ET ATTENDS LA SUITE !

# 19

133. INTERPRÈTE LES CRIS, IMAGINE L'ENNEMI, ENTRE DANS L'IMAGE ÉTRANGE !

134. ÉCOUTE LES CRIS, OBSERVE EN TOI L'IMAGE DES CRIS !

135. DIS LES CRIS DEVANT HADEFF KAKAÏNE ET OUBLIE LES CRIS !

136. RUINE EN TOI L'IMAGE DES CRIS !

137. QUAND LES CRIS SONT DES CRIS DE VISAGE, TRANSFORME-LES EN IMAGE ÉTRANGE !

138. TRANSFORME-TOI EN IMAGE ÉTRANGE !

139. ÉCOUTE LES CRIS, IMAGINE LE COMBAT !

140. SI LE MURMURE DEVIENT SILENCE, MURMURE LES CRIS !

# 20

141. TU ES UNE VITRE, RUINE EN TOI L'IMAGE DES REFLETS !
142. TU ES UNE VITRE, RUINE EN TOI TOUTE IMAGE !
143. TU ES UNE VITRE, LA TÉNÈBRE TE PERCE !
144. TU ES UNE VITRE, LE SOLEIL TE PERCE !
145. TU ES UNE VITRE, MÊME HADEFF KAKAÏNE T'IGNORE !
146. TU ES UNE VITRE, AUCUNE MOUCHE NE T'IMAGINE !

## 21

147. CHANTE AVEC TES DOUZE DOIGTS !
148. CHANTE AVEC SAYACHANE BLOCK !
149. CHANTE AVEC LES DOUZE DOIGTS DE SAYACHANE BLOCK !
150. NE REVIENS PLUS NULLE PART SANS TES DOIGTS !
151. PARESSE AU CREUX DES VAGUES ÉTRANGES !
152. CHANTE AVEC ONZE FOIS DOUZE DOIGTS !
153. SAYACHANE BLOCK, MERVEILLEUSE, RENAIS, PARESSE, TUE !
154. MERVEILLEUSE, RENAIS, AVANCE, TUE !
155. SAYACHANE BLOCK, MERVEILLEUSE, CHANTE AVEC TES DOUZE DOIGTS, TUE AVEC TES DOUZE DOIGTS !
156. PARESSE DANS LA VAGUE ÉTRANGE, REVIENS AVEC TES DOIGTS, AVANCE, TUE !
157. SAYACHANE BLOCK, N'OUBLIE PAS LES DOUZE DOIGTS DE SAYACHANE BLOCK !

158. SAYACHANE BLOCK, MERVEILLEUSE, N'ÉCOUTE PLUS LE CHANT, N'AVANCE PLUS, NE RENAIS PLUS, TUE !

# 22

159. METS TES DOUBLES DANS TON DEUXIÈME VENTRE !

160. OUBLIE TES DOUBLES DE CHAIR, METS-LES DANS TON DEUXIÈME VENTRE !

161. QUAND LA FIN APPROCHE, METS TES DOUBLES DANS TON DEUXIÈME VENTRE !

162. OUBLIE TES DOUBLES DE CHAIR, METS-LES DANS TON DEUXIÈME VENTRE ET CALCINE-LES !

## 23

163. GARDE UN ŒIL SUR LE SOLEIL, UN ŒIL SUR LA LUNE !

164. SI TES CŒURS DE CHAIR RALENTISSENT, ENTRE DANS LA TERRE ET ARRACHE-LES !

165. SI TON SIXIÈME CŒUR RALENTIT, OUBLIE TA TÊTE ET ÉPARPILLE-TOI !

166. SI TON DOUBLE T'APPELLE, OUBLIE TON NOM, ENTRE DANS LA TERRE ET ACHÈVE-TOI !

167. ENTRE DANS LA TERRE SANS TA TÊTE !

168. NE RIS PAS DANS LA TERRE, ACHÈVE-TOI !

169. NE RIS PAS COMME LA CHRYSALIDE CHAUVE, ACHÈVE-TOI !

170. NE REGARDE PAS TON DOUBLE SANS TÊTE, ACHÈVE-TOI !

171. GARDE UN ŒIL SUR LE SOLEIL, UN ŒIL SUR LA CHRYSALIDE CHAUVE, UN ŒIL SUR LA LUNE !

172. ACHÈVE-TOI SANS RIRE QUOI QU'IL ARRIVE !

# 24

173. SI TU VOIS TON NOM INSCRIT SUR LA VITRE, SAUVE QUI PEUT !

174. TU ES UNE VITRE, SOUVIENS-TOI DU SABLE !

175. TU ES UNE VITRE, TU SERAS UN FRAGMENT DE VITRE !

## 25

176. AVANT L'ÉTÉ NUMÉRO TWELVE, TRANSFORME-TOI !

177. COURS VERS LES ONZE-MUSEAUX, TRANSFORME-TOI !

178. VA JUSQU'À LA CITÉ HAGARDE, DIS TON NOM, TRANSFORME-TOI !

179. VA VERS L'ÉTÉ NUMBER TWELVE, COMPTE JUSQU'À ONZE, TRANSFORME-TOI !

180. COURS SUR LE FOND DE L'EAU, NE TOUCHE PAS LES VASES, TRANSFORME-TOI !

181. COURS JUSQU'À LA FUMÉE ÉTRANGE, TRANSFORME-TOI !

182. APPRENDS LE BRUIT DES GOUDRONS ÉTRANGES !

183. REVIENS VERS LES GOUDRONS ÉTRANGES, COMPTE JUSQU'À DEUX, TRANSFORME-TOI !

# 26

184. SEULE TU ES MARYIAM BALTIMORE, ENSEMBLE NOUS SOMMES LA VIEILLE-NICHÉE !

185. SEULE TU ES UNE HIRONDELLE DÉCHIRÉE, ENSEMBLE NOUS SOMMES MARYIAM BALTIMORE !

## 27

186. GOÉLANDES, OURSES DE CHAIR, OURSES DE FER, DÉCOLLAGE DANS CINQ MINUTES !

187. OURSES DE CHAIR, TYPHON SUR VOUS !

188. AVEC LES GOÉLANDES DE CHAIR, AVEC LES OURSES DE FER, AVEC MINERVA STENDEC !

189. MARIYA PILGRIM, MENACE SUR TOI !

190. PETITES SŒURS, HIRONDELLES DE CHAIR, MENACE SUR VOUS !

191. MARIYA PILGRIM, MINERVA STENDEC, ENSEMBLE NOUS SOMMES MARYIAM BALTIMORE !

192. MARIYA PILGRIM, PETITES SŒURS DE CHAIR, DÉCOLLAGE DANS CINQ MINUTES !

# 28

193. ACCEPTE L'AMOUR DES SEPT GOÉLANDES !
194. ACCEPTE L'AMOUR DES OURSES JAUNES !
195. ACCEPTE L'AMOUR DE LA CHRYSALIDE CHAUVE !
196. ACCEPTE L'AMOUR DE MARIYA PILGRIM !

# 29

197. TANAZ TANIYA, COURS VERS LA PORTE ROUGE, OUVRE-LA !

198. SI TANAZ TANIYA OUVRE LA PORTE, N'OFFRE RIEN À TANAZ TANIYA !

199. MÊME TA PEAU RIDÉE COMME DE L'EAU, NE L'OFFRE PAS À TANAZ TANIYA !

200. SŒURS DE TANAZ TANIYA, RECULEZ ENCORE, RECULEZ ENCORE !

201. NI TANIYA TANAZ NI L'OMBRE GOITRE DE TANAZ TANIYA !

202. FACE À TANAZ TANIYA, PENSE À L'AMOUR DES SEPT GOÉLANDES !

203. EN FACE DE TANAZ TANIYA, PENSE À TA PEAU RIDÉE COMME L'EAU !

204. SI TU RENCONTRES TANAZ TANIYA, RECULE ENCORE, RECULE ENCORE !

# 30

205. N'OBÉIS PAS À TANAZ TANIYA !

206. N'OBÉIS PAS AUX OMBRES GOITRES !

207. RENVOIE VERS LA PORTE ROUGE LES ORDRES DE TANAZ TANIYA !

208. POUR TANAZ TANIYA, UN MASQUE DE BRUIT, POUR TANIYA TANAZ, UN MASQUE DE SILENCE !

209. QUAND SE LÈVE TANAZ TANIYA, COMPTE LES SECONDES ET SOUVIENS-TOI !

210. N'AIME TANAZ TANIYA QUE SI TANIYA TANAZ TE L'A ORDONNÉ !

211. MARCHE SUR LA POUSSIÈRE AVEC TANAZ TANIYA, NE LUI OBÉIS PAS, ÉCOUTE SON MASQUE DE SILENCE !

212. AIME LE SILENCE DE TANAZ TANIYA ET ROMPS-LE !

213. AIME LES OMBRES GOITRES ET ÉCLAIRE-LES !

214. AIME TANAZ TANIYA ET FERME LA PORTE ROUGE !

# 31

215. SOUTIENS LE PROGRAMME DES NAINES BLEUES !

216. SOUTIENS LE PROGRAMME DES GÉANTES BLEUES !

# 32

217. SI TON CORPS A FONDU, NE T'ALARME PAS !

218. SI TA TÊTE SE DÉTACHE, NE T'ALARME PAS !

219. SI TES PENSÉES SE FIGENT, NE T'ALARME PAS !

220. SI TES PATTES TREMBLENT SANS FORCE, NE T'ALARME PAS !

221. SI TOUTES PASSENT PRÈS DE TOI SANS TE VOIR, NE T'ALARME PAS !

222. SI TOUTES EN TA PRÉSENCE MURMURENT QUE TU ES DÉJÀ MORTE, NE T'ALARME PAS !

223. ENTRE DANS LA NAINE BLEUE, EMPLIS LA NAINE BLEUE !

224. PÉNÈTRE LA GÉANTE BLEUE JUSQU'AU VERTIGE, EMPLIS LA GÉANTE BLEUE !

225. SIGNAL TYPHON, DEUX FEUX ROUGEÂTRES, OUVRE LA PORTE !

226. SIGNAL TEMPÊTE, DEUX FEUX VERMEILS, OUVRE LA TÊTE !

227. SIGNAL DÉSASTRE, FEU NOIR BRILLANT, OUVRE LES YEUX !

228. SI TOUTES EN TA PRÉSENCE TE DISENT MORTE, PENDS-TOI AVEC TA CEINTURE !

229. SIGNAL DIX-HUIT, FEU COULEUR FLAMMES, NE FLAMBOIE SOUS AUCUN PRÉTEXTE !

230. SIGNAL POISON, TROIS FEUX VERT PÂLE, ENTRE EN CATALEPSIE !

231. ENTRE EN CATALEPSIE, OUBLIE LE POISON, ENTRE EN TRANSE VERT PÂLE !

232. SI TES ORGANES S'ESTOMPENT, NE T'ALARME PAS !

233. SI TU VIEILLIS DE CINQ MILLE ANS, NE T'ALARME PAS !

234. SI LA GÉANTE T'ÉTOUFFE, NE T'ALARME PAS !

235. SI LES JUGES T'ENCERCLENT, NE T'ALARME PAS !

## 33

236. DEBOUT SOUS LA BOUE COMME DANS LES PIERRES !
237. DEBOUT PARMI LES ONDINES FUSILLÉES !
238. DEBOUT JUSQU'À LA DERNIÈRE VAGUE !
239. DEBOUT JUSQU'AU GÉMISSEMENT NUMBER QUATRE !

# 34

240. DÉVELOPPE LES RITES GRANDIOSES !

241. MÊME SOUS LE FEU DE L'ENNEMI, DÉVELOPPE LES RITES GRANDIOSES !

# 35

242. SI TU TE SENS FRÉMIR, MEURS, AVANCE, FRAPPE !
243. LA MORT PLUTÔT QU'UN DEUXIÈME FRÉMISSEMENT !
244. PETITE SŒUR, AVANCE SANS FRÉMIR, AVANCE, FRAPPE !

# 36

245. FERME LA MATRICE AVANT DIX-SEPT HEURES SEIZE !

246. FERME LA MATRICE AVANT DE REGARDER LE CIEL !

247. FERME LA MATRICE QUELLE QUE SOIT L'AMPLEUR DE LA VAGUE !

248. FERME LA MATRICE AVANT D'ARRACHER SON MASQUE À GHISLAINE BRONX !

249. FERME LA MATRICE MÊME SI GHISLAINE BRONX SIFFLE TON NOM !

250. N'EXAMINE PAS GHISLAINE BRONX, NE GRIFFE PAS GHISLAINE BRONX, FERME LA MATRICE !

251. FERME LA MATRICE AVANT LE NEUVIÈME COUP DE MINUIT !

# 37

252. CHRYSALIDE DU SEPTIÈME CAISSON, N'ÉGRATIGNE PAS L'HORIZON, DÉCHIRE-LE !
253. POUR UNE DÉCHIRURE TOTALE DE L'HORIZON !
254. DÉCHIRURE DÉFINITIVE DE LA PLEINE MER !
255. FIN DES PORTS FRANCS !
256. FIN DES PORTS NON FRANCS !
257. NÉANT TERMINAL SUR LA CÔTE ET SAUVE QUI PEUT !
258. NÉANT TERMINAL SUR L'OCÉAN ET SAUVE QUI PEUT !
259. TERMINÉ, LE CIEL IMMENSE DÈS L'AURORE !
260. TERMINÉE, LA CÔTE EN DENTELLE DE CRIQUES !
261. TERMINÉ, L'OCÉAN SANS FIN !
262. TERMINÉ, LE RÊVE DE GHISLAINE BRONX !

263. TES AILES SONT INTACTES, NE DÉCOLLE SOUS AUCUN PRÉTEXTE !

264. TA FACE EST DIABLEMENT ÉTRANGE, NE DÉCOLLE SOUS AUCUN PRÉTEXTE !

265. TANIYA TANAZ SE MEURT, NE DÉCOLLE SOUS AUCUN PRÉTEXTE !

266. RETOURNE AVEC TANIYA TANAZ DANS L'ANTRE DE TANIYA TANAZ !

267. NE TE MORFONDS PAS DEVANT LES MOUCHES, VA VERS LA NAINE ÉTRANGE !

268. TA FACE EST DIABLEMENT ÉTRANGE, VA AVEC TANIYA TANAZ VERS LA MASURE ÉTRANGE !

# 39

269. BAS LES PATTES DEVANT MARYAMA ALEZIANE !

270. BAS LES PATTES DEVANT LES PIRATES RIEUSES !

271. BAS LES PATTES DEVANT LA BELLE BRIGANDE !

272. AVEC LES PIRATES RIEUSES, FUIS JUSQU'À L'IMAGE !

273. ACCEPTE LE RIRE DE LA PIRATE RIEUSE, FUIS JUSQU'À L'IMAGE !

274. ENTRE DANS L'IMAGE, NAGE, APPRENDS L'IMAGE !

275. APPRENDS L'IMAGE JUSQU'À ZÉRO !

276. OSE L'IMAGE DEVANT LA BELLE BRIGANDE !

277. FUIS AVEC MARYAMA ALEZIANE !

278. AVEC MARYAMA ALEZIANE, FUIS JUSQU'À LA DEMOISELLE !

279. NE FUIS PAS PLUS LOIN, DÉCHIRE LA DEMOISELLE !

280. DÉCHIRE LA DEMOISELLE JUSQU'À ZÉRO !

281. COMPTE LES DÉCHIRURES !

282. COMPTE LES DÉCHIRURES, MARYAMA ALEZIANE RIT DEVANT LA CENT TROISIÈME !

# 40

283. NE RUMINE PAS DEVANT LES DÉCHIRURES !

284. OUBLIE L'IMAGE, APPRENDS LE LANGAGE DES PIRATES !

285. OUBLIE L'IMAGE, ENTRE DANS LA DÉCHIRURE, ENTRE DANS LE ZÉRO !

286. REJOINS LES PIRATES DÉCHIRÉES !

287. REJOINS LES DEMOISELLES DÉCHIRÉES !

288. OUBLIE LA BELLE IMAGE, ENTRE CHEZ LES VOLEUSES SORDIDES !

289. PETITE SŒUR, TU ES UNE VOLEUSE SORDIDE, TU ES ENTRÉE CHEZ LES VOLEUSES NUES !

290. PETITE SŒUR, TU ES UNE VOLEUSE NUE, VOLE L'IMAGE, DÉCHIRE, TUE !

291. ENTRE DANS LA TERRIBLE IMAGE, DÉNUDE-TOI JUSQU'AU ZÉRO, DÉCHIRE-TOI, TUE !

292. DÉCHIRE LA BELLE IMAGE, TES SŒURS SONT DES VOLEUSES DÉCHIRÉES, TA SŒUR S'APPELLE AMANDA WONG !

293. OUBLIE TOUTE IMAGE, AVANCE À TÂTONS VERS AMANDA WONG !

294. NE RUMINE PAS DEVANT AMANDA WONG, DÉNUDE-TOI JUSQU'AU ZÉRO, TOI AUSSI TU T'APPELLES AMANDA WONG !

# 41

295. AUCUN CHEMIN, AUCUNE IMAGE, DÉCHIRE LE ZÉRO, DÉCHIRE-TOI !

296. TUE CE QUI RESTE DANS L'IMAGE, DIS LE ZÉRO, DEVIENS SILENCE !

297. OUVRE LES ÉCLUSES DES GRANDS RÊVES !

298. AUCUN CHEMIN, SEUL LE FEU, DEVIENS SILENCE !

299. AUCUN CHEMIN, SEUL LE FEU, DEVIENS CELLE QUI BRÛLE !

300. FAIS COMME AMANDA WONG, DEVIENS CELLE QUI BRÛLE !

301. AUCUN CHEMIN, SEUL LE FEU, AVANCE À TÂTONS JUSQU'À AMANDA WONG !

302. ARRIVE AU PORT, OUVRE LES ÉCLUSES ET ÉTEINS-TOI !

# 42

303. OBSCURCISSEMENT IMMÉDIAT DES NAINES ROUGES !

304. POUR UNE NAINE ROUGE NON OBSCURCIE, TROIS MATELOTS BASCULENT PAR-DESSUS BORD !

305. POUR UNE GÉANTE NON OBSCURCIE, TROIS OURSES BASCULENT VERS L'ÉCUME !

306. POUR UNE GÉANTE ASSASSINÉE, MILLE TÊTES SORDIDES DEVIENNENT SOLEIL !

307. POUR UNE GÉANTE NON OBSCURCIE, CHAQUE VISAGE DEVIENT REFLET !

308. POUR UNE GÉANTE NON OBSCURCIE, PETITE SŒUR S'APPELLE CENDRE !

## 43

309. PLUS AUCUN CHEMIN VERS LA TERRE !

310. QUATRE SOLEILS DEVIENNENT SORDIDES !

311. LE VENT S’EMPARE DE VOS VISAGES !

312. LONGUE VIE AUX OURSES MORTES !

313. OBSCURCISSEMENT IMMÉDIAT DES SITES OBSCURS !

## 44

314. APRÈS L'INNOMBRABLE BATAILLE, REPRENDS LA ROUTE !

315. APRÈS L'INNOMBRABLE NAUFRAGE, REPRENDS LA ROUTE !

316. APRÈS L'AURORE MÊLÉE AU SANG, REPRENDS LA ROUTE !

317. APRÈS LA FIN DE TOUT VOYAGE, REPRENDS LA ROUTE !

318. APRÈS LA FIN DE LA ROUTE, REPRENDS LA ROUTE !

319. NATALIA SCHWEER TE REGARDE, REPRENDS LA ROUTE !

45

320. MANGE LE BRUIT DU VENT AVEC TES OREILLES !

321. MANGE L'IMAGE DU VENT AVEC TES YEUX !

322. COUCHE-TOI SUR LA TERRE AVEC TA PEAU !

# 46

323. RECONNAIS LA LOUVE LOINTAINE À SON HALEINE LOINTAINE !

324. RECONNAIS LA LOUVE ÉCUMEUSE À SON MUSEAU GRIS !

325. RECONNAIS TA SŒUR LOUVE, N'ÔTE PAS TON MASQUE !

326. RECONNAIS LA LOUVE AVEUGLE À TES YEUX QUI SE DÉFONT !

327. RECONNAIS TA SŒUR LOUVE À TON CORPS QUI SE DISPERSE !

328. QUEL QUE SOIT LE RÊVE, OUBLIE-LE !
329. QUELLE QUE SOIT LA LANGUE, NE PARLE PAS !
330. QUELLE QUE SOIT LA ROUTE, FAIS DEMI-TOUR !
331. QUELLE QUE SOIT TA MORT, N'ATTENTE PAS À TA MORT !

# 48

332. ALLUME TA LAMPE-TEMPÊTE ET ATTENDS LA SUITE !

333. ALLUME TA LAMPE-TEMPÊTE ET ÉTEINS-TOI !

334. VA VERS L'AVANT AVEC TA PEAU, ET ENSUITE NE VA NULLE PART !

335. VA VERS L'AVANT AVEC TANAZ TANIYA, NE VA NULLE PART, ÉTEINS-TOI !

# 49

336. N'OUBLIE PAS DE SOUFFLER TON NOM !

337. HABILLE-TOI AVEC DE LA CHAIR !

338. ABANDONNE L'IDÉE DU VOYAGE !

339. PRENDS LA PREMIÈRE RUELLE À GAUCHE !

340. DÉGUISE-TOI EN CORPS PERDU !

341. METS TON RÊVE DANS UN SAC !

342. METS TES RESTES À L'ABRI !

343. RETOURNE À LA GRANDE-NICHÉE !

# DURA NOX, SED NOX

Il attendit d'abord que montât autour de lui une obscurité épaisse, puis, à voix basse, il modela le nom de plusieurs princesses, parmi lesquelles plusieurs se confondaient avec ses filles, puis il appela la nuit sur le monde et dans les cavernes paradisiaques, dans ce qu'autrefois il avait appelé les cavernes paradisiaques, où il s'était prélassé pendant des siècles en mimant l'inexistence et la catatonie de foire, tantôt profitant des rêves des autres pour commettre ses inimaginables méfaits, tantôt feignant en toute impunité le sommeil des morts, ou au contraire s'amusant d'attirer sur lui l'attention avec des tours de petite illusion, s'amusant de donner l'impression, aux gueux qui le regardaient, qu'il dominait mal ou sottement la science et la sorcellerie, s'amusant de la naïveté du public et encore plus de sa lucidité, puis, après quelques jours d'allées et venues dans la poussière moyenâgeuse des foules, sur la crasse des estrades où il était obligé de forcer sa voix de gorge pour surmonter la rumeur que produisaient les marchands, les cochons et les autres bateleurs qui à côté de lui tentaient d'obtenir des piécettes en échange de leurs chants, retournant dans les cavernes paradisiaques qui en réalité n'avaient rien de caverneux, qui en réalité avaient forme de femmes humaines éclopées, quelquefois habiles à feindre la vie et l'intelligence, quelquefois rétives à sa présence, mais le plus souvent indifférentes à son intrusion dont elles avaient peu conscience, ou au contraire disposées à l'accueillir, car elles présumaient qu'il leur apporterait des avantages physiques tels que la fin de leur infirmité ou l'aptitude à obtenir une sensation de bonheur ou de satiété avec du vent et avec peu de chose, et à celles-là qui l'admettaient volontiers en elles il faut reconnaître qu'il offrait des consolations et des miels, et qu'il n'usait jamais de brutalité, et donc il appela la nuit et, quand celle-ci fut descendue à proximité de lui, il entama une courte danse pour se rapprocher encore d'elle, puis il tâtonna en sa direction et, l'ayant frôlée, il l'empoigna sans lui laisser le loisir de s'échapper et il se fondit à elle, disant les prières qu'on dit lorsqu'on possède sexuellement une créature étrangère et de nouveau prononçant le nom des princesses dans les rêves de qui il désirait se rendre, et, quand il se fut substitué à la nuit, il commença à rouler de-ci, de-là, semblable à une boule noire mais sans substance et prenant peu à peu assurance et force, au point qu'il n'hésitait plus à tirer sur le tissu des espaces interstellaires et à le déchirer pour dans les déchirures puiser de la matière noire qu'il engrangeait dans des coffres et sous son crâne en vue de ne pas manquer de vivres pendant son voyage, car il se souvenait de plusieurs occasions antérieures où les nourritures de cette sorte lui avaient fait défaut, l'obligeant à périr de façon inopinée et le retardant à chaque reprise de douze fois douze mille ans, périodes qu'il avait peu appréciées, car au lieu de les mettre à profit pour améliorer sa science il avait dû cheminer interminablement vers sa résurrection et préparer sa renaissance dans des conditions d'improvisation pénible, et qu'il souhaitait ne plus connaître, non qu'il eût dégoût de rester sans vie douze fois douze mille ans, mais parce qu'il estimait que pendant de pareils gouffres de temps ses filles et ses épouses se morfondaient de ne pas le voir paraître au bout de la route ou même au profond de leurs songes, et c'était à elles avant tout qu'il pensait durant son cheminement, à ses princesses, à ses envoûtantes princesses que par don d'ubiquité il visitait follement et à toute heure, souvent à des heures coïncidentes, à ses ravissantes et merveilleuses, et en effet lors de ces mortelles absences où il errait à pied dans l'espace noir, sans souffle et sans sommeil et sans compter les millénaires, il devait renoncer à toute communication avec l'extérieur, à toute possibilité de rire et de deviser en compagnie et à tout transport à l'intérieur de quelque femme que ce fût, éclopée ou non, et ce quelle que pût être la violence de sa nostalgie d'en terminer avec la solitude, et d'ailleurs il en arrivait, au tournant des quelques premières dizaines de siècles, à confondre ses princesses, à ne plus mettre de noms sur les femmes pour lesquelles il éprouvait encore de la passion ou qu'il avait aimées, et à substituer l'une à l'autre, comme si à la fin filles et épouses devenaient interchangeables, et, sa mémoire peu à peu s'effritant, il perdait usage de la parole, errant toujours furieusement vers l'avant mais sans mots, marchant toujours avec obstination vers l'avant, vers la renaissance, et surtout assailli d'images dont il ne savait plus dans les rêves de quelle épouse ou de quelle fille perdues il les avait déjà parcourues, et souffrant fort de cette ignorance, souffrant fort et s'affligeant tandis que s'écoulaient ces incompressibles douze fois douze mille années, laps vains selon ses valeurs personnelles et ses calendriers mais quand même fâcheux, aussi, lorsqu'il eut fait provision de suffisantes matières noires puisées à même les abîmes et les voûtes célestes et assimilées, et qu'il eut roulé en diverses directions comme une boule sans consistance, il fut pris d'un ricanement de maître, se laissant aller peut-être au vertige de celui qui administre éléments et ténébreux flux et reflux, puis il se domina et recommença plus humblement à scander les nombres par lesquels on invoque et on énumère les constellations connues et inconnues, et, tandis que sa voix déroulait les étoiles comme un drap noir piqueté de pierres scintillantes, il y eut derrière lui un remue-ménage qu'il décida de ne pas interpréter, car il en soupçonnait le caractère défavorable et porteur d'hostilité, et en effet il y avait à une certaine distance une armée de chameliers obscurs et de goudronneux montés sur bêtes, qui faisaient tous grand bruit avec leurs épées et leurs cottes en métal, et tous criaient « Hohoor, daïnek, dazweeek, drendch » en cognant sur leur bouclier et la croupe écailleuse de leur monture, ce qui n'était pas de nature à l'effrayer, car il connaissait une parole qui pourrait les percer à la mémoire, tous, jusqu'au dernier, et les laisser assotis et pantelants sur le champ de bataille, sans qu'il eût besoin d'autre effort que d'ouvrir la bouche, et, sans se retourner vers eux, dédaignant le danger qu'ils représentaient, il fit siffler la parole hors de ses lèvres et il anéantit les premiers rangs des guerriers vêtus de carapace, puis les deuxièmes rangs, et bientôt derrière lui le silence se rétablit, et, alors qu'il s'apprêtait à prononcer pour ces malheureux et ces hommes de guerre la prière des sacrifiés et la litanie des défunts, quelqu'un se planta devant lui en égrenant des reproches formulés en une langue dont il ne saisissait que le squelette et point la chair, mais dont il interprétait avec justesse l'intention revendicative et méchante, le souci d'accuser et de nuire, car l'autre quoique dans une gangue de charabia remuait avec constance l'accusation selon laquelle il avait tué ou laissé mourir « les Sept frères corbeaux » ainsi que « les Sept mésanges mineures, les Sept filles belettes et les Sept cavaliers inconnaissables », et il se tint coi dans la pénombre tandis que le discours réprobateur se déroulait, acceptant passivement ce déferlement de dérisoires griefs, peut-être parce qu'il avait confusément le cœur contrit et que ces motifs même injustes lui donnaient l'occasion de mettre des mots sur sa confuse douleur et, les ayant mis, ces mots, de la sceller, cette douleur, et peut-être aussi parce qu'il abordait à l'époque un âge où patience et indifférence s'additionnent, et, quand celui qui jacassait sa tirade policière en eut terminé, il ne bougea pas, comme préparant une réponse et ruminant une argumentation décisive, et il ne fit montre d'aucune fureur dépitée lorsque l'autre, craignant sans doute de n'avoir pas été compris, se lança dans une stricte répétition exhaustive de sa harangue initiale, et, pendant ce deuxième discours, il ne s'émut ni ne se mut pas plus que pendant le premier, sinon en acquiesçant gravement du chef dès que dans l'immonde bouillie en langue crypte il surprenait de nouveau des groupes de mots qui lui paraissaient familiers, de nouveau « les Sept frères corbeaux » et de nouveau « les Sept mésanges mineures, les Sept filles belettes et les Sept cavaliers inconnaissables », mais aussi des éclats de phrases que maintenant il entendait, tels que « le gouvernement de la mer » et « le gouvernement des flammes » et « la fin de tout voyage », « l'âtre des affres », « la couleur tombée du ciel », « l'absence criminelle et l'abstinence de toute lumière et de tout vide », ainsi que des expressions encore plus opaques et quelques noms, qui dans l'ensemble auraient pu sonner comme des repères utiles mais dont la pertinence s'évanouissait dès qu'on cherchait à les relier à quoi que ce fût de personnel, d'historique et même de fictionnel, tels que « Memlor Anastase Deuxième du nom » ou « Golemia Courtepoutre », ou encore « Jean Mille, Deuxième du nom », et, lorsque l'autre enfin se tut, il l'observa des pieds à la tête avec compassion, comme pour l'encourager à vivre dans une exaltation grise ses derniers instants, puis il se rua sur lui et le décapita d'un coup de griffe et, ayant repoussé son corps dans le fossé, il plaça la tête sur un lit d'herbes et émit au-dessus d'elle plusieurs litanies funèbres que lui avait apprises dans une autre vie Lavinia McMurdoch, la belle, la merveilleuse et enivrante Lavinia McMurdoch, longtemps remisée dans ses souvenirs parmi ses plus chaudes amantes, mais, quand il y pensait, quand il essayait d'y penser, fouillant au profond des listes qui comportaient des milliers de noms et des dizaines de Lavinia, toutes flamboyantes, il se disait qu'en plus d'avoir été une insatiable maîtresse elle avait certainement dû être aussi une de ses sœurs, et pourquoi pas une de ses premières filles, à une époque de sa vie si éloignée qu'elle tourbillonnait en lui sous forme d'écharpes sombres et voltantes que rien ne fixait sinon le halètement oppressé de la mémoire, et où rien ne se dessinait en distinctes taches, sinon de rares visages et l'empreinte trompeuse, sous le bas-ventre, de pénétrations et d'étreintes qui en fait ressemblaient à des millions d'autres qui avaient soit précédé, soit suivi, et, se séparant du rien obscur et du rien flottant, justement ces litanies d'inspiration funèbre qui revenaient avec force sur le devant de sa mémoire et de sa bouche, et dont la récitation lui avait paru appropriée, et, ayant épuisé le texte des litanies, à vrai dire une suite de petites stances fort banales et disharmonieuses, il s'appliqua à redire à intelligible voix tout ce que la tête devant lui avait proféré avant sa décollation, reprenant aussi bien les énumérations de griefs que l'autre avait longuement clamés et qui faisaient de lui un criminel, un monstrueux moine incestueux et un dépravé bon pour le gibet, que les listes de ses supposées victimes, ainsi que les errances sonores et meuglements dissyllabiques dont l'autre avait parsemé son admonestation, mais cette fois, beaucoup plus que dans les litanies, il attacha à sa parole un degré de conviction et d'indignation assez féroce pour que l'on crût qu'il était accusateur et que la tête devant ses pieds était coupable, de sorte que lorsque des quidams arrivèrent sur les lieux, il n'eut aucun mal à les convaincre qu'il était une sorte de juge des enfers et que la tête, que pour plus de théâtralité il faisait à tout moment disparaître sous les volutes de son haleine et les fumées, puis menaçait avec des poses tantôt guerrières, tantôt réquisitoriales, était la pointe émergée d'un iceberg de vilenies et de blasphèmes sanglants, ce pourquoi les quidams vite outrés se joignirent à lui, pointant leurs index vers la cabèche privée de couleur et bientôt hoquetant à sa suite les rares palabres qu'ils captaient, hoquetant avec des accents scandalisés « Sept frères corbeaux », puis « Sept filles belettes, Sept mésanges mineures et Sept cavaliers inconnaissables », ou encore « l'âtre des affres », « le gouvernement des flammes », « la fin de tout voyage », « Golemia Courtepoutre », « Jean Mille, Deuxième du nom », puis, car à présent, par désœuvrement et moquerie sournoise, il ajoutait aux doléances borborygmes et inventions de son cru, hoquetant et bramant des étrangetés telles que « Jean Deux, Millième du nom », « Grelotte Œil-de-braise, fille de Grelotte et de Grelotte Œil-de-braise », « le pilotage en aveugle des nefs noires », « le venin répandu sur les neiges », ou encore « le valet de Morog-Ahn », et, tandis qu'ils hoquetaient sous sa houlette, peu à peu établissant autour de lui un cercle de chairs et de respirations, il réfléchissait à un moyen d'aller plus loin, soit en usant de stratagèmes sorciers soit en s'introduisant à la subreptice dans un des quidams, qui lui servirait d'enveloppe corporelle pendant les années de vagabondage où il l'habiterait, soit en entrant en lui-même sans se soucier des profondeurs, en s'endormant puissamment pour, dès que l'occasion s'en présenterait, s'emparer d'un rêve quelconque comme carrefour de départ, et, alors qu'il promenait son regard sur les quidams, comme les prenant à témoin des abominations commises par la tête mais, en réalité, cherchant parmi eux celui qui aurait une constitution assez solide pour s'aventurer avec lui dans l'espace noir et sur les chemins de feu ou de noirceur sans que ses os se chargent de suie ou éclatent, il aperçut au cœur des escarbilles et des fumées les bâtiments d'une centrale nucléaire naufragée dont il avait été administrateur et président, et où pendant trois décennies il avait vu ses filles grandir, Loula Kim, Varvara Park et Morgane Cayatez, loin des influences néfastes et dans une atmosphère idyllique d'isolement, car la région avait été évacuée totalement quand la centrale avait commencé à faire des siennes, sous prétexte que le mal s'était emparé invisiblement du pays et que le danger de mort serait durable, alors que dans les faits piles déglinguées, crayons et pastilles composant les barres de combustible avaient arrosé les survivants d'une douce et continuelle bruine d'isotopes qui avant toute chose les avaient immortalisés mais qui de plus les avait préservés de toute obligation idéologique et étatique, permettant d'établir dans la bourgade un régime anarchiste d'une perfection absolue, sans observateurs malveillants, sans baveurs ou pisseurs de gloses et sans gendarmes ni prêtres du pouvoir, permettant donc un épanouissement en autarcie dont il avait profité pleinement avec ses filles et avec une poignée de coriaces dont l'organisme appréciait les radiations, pour la plupart des kolkhoziennes tranquilles et d'anciens soldats du feu plus ou moins carbonisés qui l'aidaient à donner une éducation décente à Loula Kim, à Varvara Park et à Morgane Cayatez, les accompagnant dans leur rapide croissance, les regardant atteindre successivement l'âge des premières magies, puis l'âge de la reproduction, du reste impossible dans cette ambiance saturée de rayons bêta et gamma, puis l'âge de la beauté et de l'indépendance, ce qui l'obligeait à veiller jalousement à l'intégrité morale et sexuelle des trois jeunettes, et, dans cet esprit, à éliminer discrètement tout étranger de passage ayant par mégarde entamé un périple sur l'étendue interdite qui avait été close avec des pancartes répulsives et des barbelés, mais dont les barrières, sous l'effet des pluies et de la corrosion du temps, comportaient malgré tout des brèches par lesquelles sans le vouloir des mendiants s'introduisaient, marchaient ensuite à travers champs et ruines pendant trois ou quatre jours puis s'effondraient, glandes et moelle exsudant des larmes bitumineuses, ou parfois, parce que la nature les avait dotés à leur naissance d'antidotes inouïs qui n'avaient jamais eu encore l'occasion de se révéler mais soudain jaillissaient dans leur sang et ne faillissaient pas à leur tâche, au lieu de s'effondrer poursuivaient leur route, ragaillardis et immunes, jusqu'au moment où aux portes de la bourgade le président leur présentait le pain et le sel puis les conduisait dans une chambre de l'ancien Hôtel Bela Vista où il leur conseillait de dormir tout leur soûl pour récupérer après leur longue marche mais où ils ne tardaient pas à se dessécher et à dépérir en dépit des soins que Loula Kim, Varvara Park et Morgane Cayatez leur dispensaient, car bien que d'expérience elles sussent qu'aucune drogue n'eût été à même de contrarier les envoûtements et les formules secrètes de leur père, elles souhaitaient adoucir la fin de vie de ceux qui séjournaient à deux pas de chez elles, et nuitamment, ayant d'un commun accord déterminé un ordre de passage, leur accordaient des faveurs de vulve et de bouche, ce que le président trouvait inacceptable et qu'il leur reprochait ensuite pendant des mois en les harcelant au cœur de leurs rêves, déguisé de manière grotesque pour les effrayer et leur faire honte, saccageant les séquences amoureuses de leurs rêves, salissant leurs rêves avec des développements où elles se retrouvaient vieilles filles et en exil, ou encore prostituées de bas étage dans une capitale et assaillies constamment par des clients malhabiles et rustauds, empestant le bétail d'abattoir et le suint, et, alors qu'en une seconde il revoyait cette période de son existence, ou du moins d'une des existences sans nombre qu'il avait subies, côtoyées ou parcourues, les bâtiments de la centrale s'effacèrent, l'horizon noircit au point que même lui, qui pourtant d'ordinaire pouvait distinguer à mille pas une fourmi noire crapahutant sur l'écorce noire d'un arbre entouré de nuit, ne vit plus goutte au-delà d'une distance de quelques mètres, et il se retrouva apparemment sans perspective et sans espace, au centre d'un petit groupe de gueux des ténèbres qui l'écoutaient parler à une tête et reprenaient en chœur ou en solo des fragments de vociférations, et que maintenant il examinait avec plus d'attention que précédemment, en général des individus si insignifiants et grossiers de stature et d'esprit qu'il avait peine à leur attribuer de l'humanité, ou sinon sous forme de traces, mais parmi lesquels il cherchait les personnalités les plus fortes afin si nécessaire d'en choisir une et de l'habiter, et, alors qu'il s'informait en les scrutant des noms qu'ils portaient, découvrant accablé les sobriquets dont on les avait affublés à leur naissance, tels que « Gospel Richebouque », « Capitaine Francheguenille », « Wilforim Tottegoute », « Sandy Bec-et-ongles », il tomba sur un certain « Bouldomir Oussourievitch » qu'il se rappela brusquement avoir lui-même assassiné à l'Hôtel Bela Vista et ensuite traîné en cinq morceaux vers le cœur nucléaire de la centrale afin que son corps fît corps avec les éléments déchaînés, ou du moins se lyophilisât sans délai, et, ayant avisé ce Bouldomir Oussourievitch parmi les participants à la cérémonie, il lui fit signe afin qu'il s'approchât et, quand celui-ci eut obéi, il ramassa la tête et la lui fourra entre les mains, lui donnant sans réparmer du « Bouldomir Oussourievitch » et du « mon presque gendre », « mon cher cousin », et le chargeant, non sans multiplier les grandes tapes dans le dos, de poursuivre les véhémences du procès en cours, et dans le même temps il manœuvrait mentalement pour s'introduire dans la carcasse d'un autre déguenillé de l'assemblée, un certain Hadeff Kakaïne, homme bien fait de corps mais d'une grande laideur de visage, de caractère renfermé, aimant la solitude et n'éprouvant pas plaisir à se joindre aux foules, ce qu'on déduisait aisément quand on constatait qu'il se tenait à l'écart du cercle des vociférants, et, tout en donnant l'impression qu'il allait encore pendant une heure dicter des instructions à son cousin et gendre Bouldomir Oussourievitch, soudain en un bref coup de foudre il se dissipa, prenant sans que nul ne s'en aperçût ses quartiers en Hadeff Kakaïne, qui presque au même moment quitta le groupe et s'en fut en direction du nord-ouest, sans participer à l'émotion qu'avait provoquée la brusque évaporation du vociférateur jusque-là principal, ni au débat dans lequel bientôt les quidams s'enlisaient, préoccupés de savoir si Oussourievitch était vraiment habilité à hériter de la tête et s'il fallait poursuivre les invectives contre la tête et en quels termes et combien d'heures ou de jours encore, nord-ouest qu'il avait choisi plutôt au hasard, car d'une part il savait que tous les points cardinaux se valent et que de toute façon une vocalise convenablement braillée face au ciel noir et trois gestes experts de la main gauche suffiraient à inverser la boussole, et d'autre part il tenait à laisser à Hadeff Kakaïne, dans un premier temps, une impression de libre arbitre et peu d'éléments qui alimenteraient son soupçon qu'on était entré en lui et qu'il était désormais possédé et habité, et, quand il eut mis assez de distance entre Hadeff Kakaïne et le groupe de quidams, il se révéla à Hadeff Kakaïne, brûla en celui-ci toute mémoire, s'empara de Hadeff Kakaïne jusqu'aux ombres et s'établit mentalement en lui, et, ne faisant désormais plus qu'un avec son hôte, il marcha d'abord trente-sept longs hivers dans les ténèbres qui menaient au nord-ouest, puis, pour faire bonne mesure, il parcourut de la même manière, en tâtonnant, les trois fois trente-sept longues saisons qui étaient associées à ces hivers, puis, comme l'obscurité continuait à n'être coupée d'aucune lumière, il fit encore deux kilomètres à genoux, puis cinquante-six kilomètres en rampant comme une couleuvre, se disant que si le corps de Hadeff Kakaïne était usé il l'abandonnerait dans un fossé et partirait à la recherche d'une autre enveloppe, mais, comme ce corps se montrait robuste et pourvu d'une plus grande volonté de survie qu'il n'avait paru de prime abord, il décida qu'il avait plaisir à y avoir fait son nid et qu'il poursuivrait donc avec lui sa route, du moins pendant les périodes indécises qui le sépareraient de la mort, et c'est ainsi qu'il arriva sain et sauf sur le seuil d'une maison qui était éclairée de l'intérieur et projetait des clartés sur le chemin, invitant tout voyageur à y faire halte, et que, après avoir frappé, à la personne qui lui ouvrit il déclina son identité, articulant avec force et conviction le nom de Hadeff Kakaïne, car sans trop de mal à présent il était bel et bien Hadeff Kakaïne et point autre, ajoutant qu'il vagabondait au nom des Sept frères corbeaux et des Sept filles belettes et qu'il ne quémandait ni asile ni charité mais seulement qu'on lui donnât une indication sur le passage, que celui-ci fût étroit ou non, et à ce moment l'hôte qui lui avait ouvert l'interrompit, éclatant soudain d'une fureur que jusqu'ici il avait cachée, et lui demanda d'énumérer, puisqu'il s'en réclamait, les noms secrets des Sept frères corbeaux et des Sept filles belettes, demande à laquelle il satisfit sans hésiter, car il avait lui-même autrefois et secrètement baptisé corbeaux et belettes au moment de les égorger, tenant à ce qu'ils apprissent qui ils étaient avant de mourir, Samuel Blanc-croquant, Chamuel Ciel-de-traîne, Samuïl Samuïlovitch, Shaamiyel Samuelovitch, Samiyel Plume-de-dragon, Samuel Deux-ailes, Chamuïl Noir-de-suie, et l'hôte, dont les manifestations de rage allaient croissant, convoqua ses valets et leur ordonna de se tenir prêts, désignant ouvertement Hadeff Kakaïne à leur vindicte et leur recommandant d'user de violence dès qu'il leur ferait signe ou si jamais Hadeff Kakaïne entreprenait des manœuvres de nature hostile ou apparemment incompréhensibles et donc magiques, puis il exhorta Hadeff Kakaïne à dire au plus vite le nom des Sept filles belettes dont il avait prétendu être un héritier spirituel et dont là aussi il se réclamait pour obtenir des informations sur le passage, ce qu'il commença à faire, non sans surveiller du coin de l'œil les valets qui l'encerclaient et pointaient sur lui leurs arbalètes, dressant donc à contrecœur la liste des belettes, Irina Courte-paille,

Ariana Bête-de-somme, Lioudmila Toute-éclair, Lioudmila Sauvageonne, Irina Brille-de-colère, Irina Toute-splendeur, Raïa Graine-de-torche, à contrecœur parce qu'il se rappelait les avoir exécutées au milieu de ténèbres sales, au fond d'une cour sale, contre un mur de ciment sale, et aussi parce qu'il voyait bien que cette énumération qu'on attendait de lui était liée à un ressentiment brûlant à son égard, brûlant et vif, et, ayant clos l'énumération, il se prépara au combat, mais sans ostentation provocatrice, et tout d'abord poliment il se tourna vers l'hôte, comme n'attachant guère d'importance à la menace dont il faisait l'objet de la part des valets et surtout comme ne comprenant pas les raisons pour lesquelles on le tenait ainsi en joue, et d'une voix faussement craintive il interrogea l'hôte sur les motifs de sa suspicion, ce à quoi l'hôte qui ne réussissait pas à contenir son ire se répandit en récriminations fougueuses, relatant l'atroce journée de massacre au cours de laquelle ses frères corbeaux avaient été grotesquement accoutrés d'appellations toutes plus idiotes l'une que l'autre, puis, cet infâme baptême ayant eu lieu, avaient été assassinés, et relatant ensuite la nuit horrible pendant laquelle ses sœurs belettes avaient été contre leur gré pourvues de patronymes insensés puis l'une après l'autre saignées à mort dans un recoin de cour, sur des dalles de ciment sordides, au cœur de misérables ténèbres, et, ayant mis fin à sa description sans fard des faits, il accusa Hadeff Kakaïne d'avoir été le bourreau responsable de ces morts épouvantables, puis il demanda à celui-ci s'il avait quelques ultimes volontés à exprimer avant d'être criblé et équarri, ce à quoi Hadeff Kakaïne répondit en lui arrachant instantanément la tête, qu'il possédait pourtant dure et cuirassée, puis en utilisant le corps fraîchement défunt comme bouclier, se drapant dans le corps de l'hôte pour parer les jets de carreaux qui déjà volaient en sa direction, car les valets, un instant horrifiés, avaient repris leurs esprits et déclenché leurs machines en un bel ensemble, et presque aussitôt, comme un temps leur était nécessaire pour réintroduire des carreaux et réarmer le ressort de fer, il se jeta sur eux et en étripa plus de la moitié, laissant trois ou quatre survivants s'enfuir à perdre haleine et, au lieu de se replier dans la maison, s'éparpiller stupidement dans des zones charbonneuses où ils n'auraient aucune chance de salut, et, tandis qu'il les écoutait disparaître et se fondre à l'espace noir, il s'acharna sur les arbalètes, armes dont il avait depuis toujours méprisé les performances et dont il ne comptait pas s'encombrer, puis il enjamba les restes déchiquetés de l'hôte et franchit le seuil, puis il s'enfonça dans un premier couloir, et, voyant que les lumières comme par un malveillant procédé s'éteignaient dès qu'il s'en approchait, il commença à marcher avec plus de précautions, rencontrant parfois des domestiques affolés, quand il ne s'agissait pas de soldats qu'il ne se gênait pas pour mettre à mal, ou d'animaux qu'il écartait en leur lançant des hourras et des pestilences, et, comme peu à peu il pénétrait dans un labyrinthe inconnu, il se mit à chanter des hymnes qui étaient tantôt profanes, tantôt religieux, tantôt révolutionnaires, tantôt contre-révolutionnaires, puis il s'annonça avec force vibrations de basse glotte, disant « Hadeff Kakaïne s'avance », « Hadeff Kakaïne vient à vous » ou « Hadeff Kakaïne cherche le passage et ne vous veut aucun mal », mais ni autour de lui ni devant lui, même à distance, n'ayant obtenu la moindre réaction, il s'arrêta et choisit de méditer sans plus progresser ni même bouger, car il soupçonnait que l'hôte, mécontent d'avoir été brutalement mis en pièces, l'avait malignement dirigé vers des galeries qui n'ouvraient sur aucun passage, ne contenaient aucun principe de vie et ne lui promettaient qu'un dépérissement douloureux et sans gloire, et, effectivement, il se sentit vite perdre du poids et de l'ampleur, et au bout de sept à huit mois d'immobilité, il sut qu'il était réduit en taille à guère plus qu'une araignée, ce qui l'encouragea à persister dans cette voie de métamorphose et de petitesse, car d'une part il pensait que si un passage étroit finalement se présentait, il aurait plus de facilité à le franchir, et d'autre part il se réjouissait de rejoindre un état où les besoins physiologiques étaient quasiment nuls sur de nombreuses années, et où rien ne menaçait plus son intégrité, ni prédateur ni ennemi, et, ayant encore passé quelques saisons à méditer, à se recroqueviller et à pratiquer le présent, il estima le moment adéquat pour reprendre sa marche en dépit du labyrinthe et en dépit des ténèbres que rien n'amendait et des épaisseurs de suie qu'il aurait à franchir au moindre geste, et, peu gêné par sa taille infime, il se leva, annonçant de nouveau, mais cette fois sur des musiques que personne n'aurait entendues même en collant l'oreille contre la bouche qui les émettait, « Hadeff Kakaïne avance dans le noir » et « Hadeff Kakaïne dit que le labyrinthe s'efface », et le labyrinthe, en effet, n'avait plus d'existence véritable, peut-être parce que les pouvoirs de l'hôte décapité avaient notablement diminué avec le temps, ou peut-être parce que Hadeff Kakaïne avait, de son côté, accumulé des forces en acquérant son apparence d'arachnide, en tout cas il avançait en droite ligne et désormais sans tenir compte des murs, n'étant retardé par nul obstacle et ne craignant aucunement de s'égarer, et après quelques semaines de marche il y eut une brèche inattendue dans les ténèbres et il franchit un passage étroit que d'anciens explorateurs avaient dénommé « Goulet de la mauvaise moinesse », et ce pour des raisons peu claires, car nulle moniale fût-elle bonne ou moins bonne jamais n'avait été en charge de ce lieu, ce qui du reste n'avait pas d'importance car pour lui, qui avait reçu une éducation bouddhiste avant de dériver vers des sorcelleries affreuses qui lui assuraient l'immortalité mais pas l'illumination, et qui connaissait les principes, les images et les chemins offerts par la religion, fût-ce sous sa forme non ésotérique réservée au bétail et au bas peuple, le passage étroit, goulet ou pas, moinesse ou pas, devait être l'entrée puis la sortie d'une matrice, un espace confiné mais indispensable à la renaissance ou du moins à une réincarnation salvatrice, confiné, aqueux, tiède et noir mais déjà enrichi par la promesse d'une lumière et d'une existence à venir, ou, sinon d'une lumière, du moins d'un peu de gestuelle à accomplir sous une nouvelle peau, et, ayant ainsi défini l'endroit où il se trouvait, il se disposa à attendre que la gestation s'accomplît, curieux de découvrir à petite dose ce que le destin lui avait préparé et qu'il n'était pas pressé de connaître car, compte tenu des existences qui avaient précédé, il se doutait qu'il rencontrerait à sa renaissance plus de chaos que de sérénité, et, plutôt que d'accélérer les choses par des charmes, il préférait jouir sans impatience de la situation d'emprisonnement en milieu maternel et paresser, hors de toute sollicitation et de tout danger, pensant en outre qu'il serait toujours temps, en cas de malheur lors de la mise bas, de rectifier l'éventuelle erreur que le destin aurait commise, en lui attribuant par exemple le patrimoine génétique d'une espèce animale envers laquelle il n'éprouvait pas de sympathie, ou encore en l'accablant de malformations physiques et mentales, car, bien que décidé pour une fois à respecter les procédures naturelles, il ne s'interdisait pas de modifier celles-ci à son avantage et, si cela s'avérait nécessaire, de les bousculer, de les détourner ou même de les annuler purement et simplement, leur substituant ses propres procédures surnaturelles, et, ayant ainsi envisagé plusieurs hypothèses dont aucune ne lui paraissait vraiment inquiétante, il se recroquevilla de nouveau, certain qu'il allait grossir peu à peu et gagner lentement en force et en puissance, et, lorsque sept ou huit mois se furent écoulés, il sentit qu'en effet ses forces avaient été décuplées, voire centuplées, et que sa magie avait atteint, grâce à cette longue session d'inertie, des niveaux de qualité inouïs, et, s'étant étiré de tous ses membres, il se redressa à l'intérieur de la matrice, conscient qu'il constituait à lui seul un cinquième point cardinal, celui du centre, puis il se secoua, s'épousseta des liquides et des gravillons qui collaient à lui, et, ayant rempli d'air ses sacs pulmonaires, il beugla « Hadeff Kakaïne est ici, Hadeff Kakaïne se prépare à sortir des ténèbres, Hadeff Kakaïne une fois encore va connaître l'origine du monde », car il savait que sans cette déclamation il risquait, lors de l'expulsion de la matrice qui est toujours un écœurant moment de confusion, où l'innommable et le désastre souvent se croisent et s'agglomèrent, produisant des effets dévastateurs sur la mémoire et parfois lavant celle-ci à tel point qu'il faut toute une vie pour y réinscrire suffisamment de souvenirs, accident dont il avait été une fois ou deux victime, quelques milliers d'années plus tôt, et dont il voulait à tout prix éviter qu'il se reproduisît, et, ayant ensuite oint d'un baume cicatrisant, médication qu'il avait toujours sur lui en prévision de telles circonstances, la matrice qui l'avait si généreusement hébergé et choyé, il sortit du « Goulet de la mauvaise moinesse », entrant dans un monde qu'il lui sembla avoir déjà traversé quelques siècles plus tôt, un monde vaguement familier qu'il retrouvait avec un regard déjà adulte, car depuis longtemps il avait percé l'essentiel des mystères organiques et ne s'infligeait plus, à chaque renaissance, le fastidieux parcours menant de la forme post-embyonnaire et geignarde du nouveau-né à la forme plus mûre de celui qui est en route vers la vieillesse et vers la mort, et, afin de ne pas attirer avant l'heure l'attention sur lui, il évita de pousser son cri primal et, veillant à ne pas se faire remarquer, il se mit à avancer dans la rue où il avait débouché, et en marchant il s'appliqua à découvrir le paysage et l'époque qui l'accueillaient afin de s'y adapter au plus vite, enregistrant et classant les mille détails dont la connaissance allait faire de lui un habitant de ce pays, et pendant une minute ou deux, ou peut-être un peu plus, il marmonna ainsi sous son crâne des éléments descriptifs, une rue avec de petites entreprises commerciales... des petits commerces plutôt que des branches d'une vaste institution coopérative... de nouveau on est en société capitaliste... de nouveau la révolution à faire... des commissions ouvrières à mettre en place... les échanges monétaires à supprimer... de longues années de nouveau pour imposer la fraternité... de longues années de combat au corps à corps avec l'ennemi... des guillotines aux carrefours pour les récalcitrants... là-dessus, un ciel nuageux, chargé de pluie... on est en automne... la rue assez droite, presque une avenue, avec derrière l'odeur d'essence des automobiles un parfum de châtaignes grillées... le vendeur de châtaignes, un vieil homme avec un turban... un profil de montagnard, un visage dur, des vêtements de réfugié économique... un pardessus gris aux manches trop longues, un pantalon en velours côtelé, élimé... l'homme arrivé là après des mois de voyage à pied dans les pires conditions... depuis des territoires que la guerre noire a rendus invivables...

derrière lui des petites entreprises… revente de médicaments en surplus… épiceries… légumes… le nom de la rue sur un angle de mur… rue du Batelier-fou… une petite ville portuaire… une petite vie à mener sous l'identité de Hadeff Kakaïne… en attendant mieux… puis il atteignit le bout de la rue et il entra dans une maison au hasard, car la porte n'en était pas verrouillée et il se languissait d'une forteresse dans laquelle, loin de tout tracas, il pourrait s'établir discrètement et bourgeoisement, et, après en avoir contrôlé les issues, il en tua les habitants et il en fit sa demeure, et bientôt il informa le voisinage qu'il ouvrait là un cabinet médical avec pour spécialité l'autisme, le coma, les folies dégénératives, la pyrophilie, les troubles de l'élocution avec vomissements, la grippe aviaire et l'apnée, car il pensait que ces affections en particulier pouvaient lui amener une forte clientèle, étant sans doute négligées par les praticiens de la région, et qu'il en possédait intuitivement une bonne connaissance, et, par ailleurs s'étant renseigné sur les usages juridiques et ayant appris que la législation était laxiste et qu'il risquait peu d'être poursuivi pour exercice illégal de la profession de guérisseur, il apposa une plaque de cuivre avec le nom de Hadeff Kakaïne suivi d'une liste impressionnante de facultés et de diplômes, car il tenait à inspirer confiance à ses patients et patientes, n'oubliant pas de rajouter au passage des institutions qui élargissaient le spectre de ses possibles diagnoses, telles que l'École de gynécologie de Fukushima, la Section pour adultes de la morgue d'Oulan-Bator, le Département d'études ibériques de Komsomolsk-sur-l'Amour ou l'aquarium du Musée océanographique de La Paz, dernière mention par laquelle il entendait attirer à lui non seulement les pêcheurs noyés en mer et les taquineurs de goujons blessés par leurs hameçons répugnants, mais aussi les victimes d'intoxications dues à des oursins faisandés ou à des poissons-chats ayant concentré, dans leur chair médiocrement comestible, les rejets empoisonnés des usines de la banlieue, car la ville était située sur une partie de la côte où les eaux salées et les eaux douces se chevauchaient, remuant des boues et des déjections industrielles et rendant indigeste la faune aquatique dont les pauvres se régalaient, et d'ailleurs cette tactique commerciale sembla porter ses fruits dès la première semaine, quand à la porte du cabinet vinrent frapper deux mourants qui avaient abusé du mercure que déversait dans leur pitance une fabrique de papier, deux forts gaillards à la peau bleuâtre qui dépensaient leurs dernières miettes d'énergie à exsuder par tous les pores et à cracher de désespérantes sanies, et tout d'abord il songea à abréger leurs souffrances en leur imposant les mains et en leur imposant une lecture abrégée du *Livre des morts* puis en leur retirant brusquement les poumons comme il en avait la science, et ensuite il résolut au contraire de mettre son art en œuvre pour leur rendre corps et santé, les remettre instantanément sur pied et, dans le même mouvement, pour introduire dans ce qui leur restait de jugeote une fidélité absolue, sur laquelle il comptait s'appuyer pour en faire ses sbires, et, ayant réussi cette opération, il les exposa sur le seuil de son cabinet, frais et dispos et en tenue splendide de sbires, avec des cottes de maille sur le devant de quoi brillait un fil d'or, et il est vrai que la rumeur enfla aussitôt dans le quartier qu'un nouveau médicastre était arrivé et avait promptement inversé l'agonie de deux quasi-décédés, et ce avec un tel succès que trois heures à peine après avoir franchi la porte de son établissement il les avait pris à son service en tant que gardes du corps et assassins, mais, contredisant son attente, personne pendant les jours puis les semaines qui suivirent ne se présenta pour des contrôles, pour des soins ou même pour des sorties d'agonie, et, tandis que ses sbires devant la porte prenaient la pluie et, à l'exception de leur boutonnière en fil d'or, progressivement voyaient leurs habits se tacher de rouille et perdre tout éclat, il s'interrogea sur les causes de cette méfiance étrange du public, et, au bout d'un moment, il alla se placer en face d'un miroir afin de déterminer s'il ne fallait pas chercher pour explication du phénomène son apparence extérieure, qui sans doute avait accompagné la rumeur et peut-être était de nature à repousser les souffreteux, à les dissuader d'accourir pour être sauvés de la mort ou des souffrances qui les ahurissaient, or se placer en face d'une glace réfléchissante était un exercice que ses maîtres mille ans plus tôt lui avaient déconseillé, et, en effet, quand il eut considéré l'image que le tain lui renvoyait, il se sentit accablé autant par la nostalgie que par un dépit horrifié, car alors qu'il aurait souhaité, dans cette rue du Batelier-fou, construire loin de tout une existence modeste, ignorée et tranquille, il se rendait compte que son physique effectivement pouvait nuire à ses projets en incitant les malades à tourner les talons, à refuser tout secours médicalisé et à gémir de terreur devant sa maison, et il est vrai que sur la charpente de Hadeff Kakaïne et sur la répartition de ses organes les séjours prolongés dans l'espace noir avaient laissé de consternantes traces et difformités, que le passage étroit du Goulet de la mauvaise moinesse avait aggravées, de sorte qu'il avait en face de lui un spectacle catastrophique que seul un insane spécialisé en tératologie animale eût pu apprécier, et la nostalgie qui le visitait se fondait sur une image intérieure qu'il avait de lui-même, celle d'un soldat à longs cheveux, enveloppé de flammes et bien proportionné, avec un regard de commandant et un visage dont la rudesse n'empêchait pas une grande perfection, au lieu de quoi il avait devant lui une créature dont il capturait sans plaisir ni ordre quelques traits mal descriptibles, une crinière embrouillée… des tapons de chair et de poils… un estomac formant dans le dos une bosse granuleuse… un bec torsadé d'une manière ignoble… des articulations à la surface luisante… les poumons hors du thorax, minuscules, qui pendaient comme des chiffes visqueuses en plusieurs endroits, sous les aisselles, sous le bas-ventre… des viandes blêmes, striées, à la place des joues et de la langue… aucune main n'émergeant des manches… les jambes repliées, hérissées de piquants, asexuées… des yeux mi-clos, sans expression… et, ayant retenu un croassement afin que ses sbires ne fussent pas alertés de son désarroi, il décida de se mettre en cryptobiose sur-le-champ et, tout en ordonnant à son corps, pendant cette période où il ne serait ni mort ni vivant, de se réorganiser pour, à la sortie d'un sommeil sans durée ni absence de durée, retrouver l'aspect d'un soldat à longs cheveux, environné de flammes et répondant à tous les canons militaires de la beauté, avec une physionomie impavide et des yeux que l'on ne pourrait croiser sans se troubler et obéir, il se roula en boule dans un coin où il estimait qu'on ne viendrait pas le déranger, entre le mur et une colonne d'évacuation des eaux sales, derrière la cuvette des cabinets, et, étant entré en cryptobiose, c'est-à-dire pas vraiment défunt mais dans un état où nul docte n'eût pu déceler la moindre activité vitale, il laissa s'écouler un temps sans mesure, sans durée ni absence de durée, et, à son réveil, il se déroula rapidement et s'entrevit, devenu image d'un soldat aguerri et sombre, aux proportions harmonieuses, pourvu d'un torse d'où les membres partaient sans ressembler à des excroissances obscènes, et même respectaient le cahier des charges esthétiques par quoi se définit la conformité à la race humaine, et là-dessus une physionomie de brute insensible, éclairée par un regard de commissaire politique, incorruptible et imbrisable, capable par exemple d'envoyer en mission suicide ses meilleurs guerriers, ses proches et ses sbires, puis à son tour, afin d'échapper au constat de la défaite, capable de se brûler la cervelle, puis il sortit des toilettes où il était resté enfermé hors du temps et regagna le pas de sa porte, où les sbires grelottaient sous les assauts du vent glacial et du grésil, car on était déjà au début de l'hiver et la température avait baissé, et, ayant envoyé les sbires se réchauffer à l'office, il se tint sur le seuil en position masculine, parfois agitant ses cheveux qui ruisselaient sur ses épaules sculpturales et crépitaient autour de lui jusqu'à ses hanches, de façon merveilleuse et manifestement émerveillante, car des jeunes femmes qui passaient dans la rue étaient attirées par ce mouvement de vagues et de flammes, tournaient la tête vers lui et se troublaient, pensant à ce prince qui si inopinément avait surgi rue du Batelier-fou et imaginant que par miracle il s'intéresserait à elles, se pencherait sur elles et les câlinerait, ou leur proposerait une aventure commune, longue, matrimoniale et rassurante, ou peut-être plus simplement une union éphémère, mais où elles auraient l'occasion d'oublier pour un temps leur quotidien sans soleil, et, alors qu'il poursuivait son manège qui avait rapport à la fois avec de l'insouciance, de la magie à la petite semaine, de la danse nuptiale et de la gesticulation hypnotiseuse de prédateur, ces deux activités étant d'ailleurs fort peu dissociables, une des jeunes femmes s'approcha, gravissant avec une certaine circonspection les marches qui menaient à lui, puis, après avoir esquissé un salut qui avait rapport avec une demi-révérence, elle demanda à être auscultée pour ce qu'elle suspectait être de l'uchronie morbide, de l'intolérance à la vie et une déficience langagière dans le domaine de l'entomologie, ainsi qu'une allergie aux laitages et aux religions, ce qu'il interpréta plus comme des prétextes à entrer chez lui que comme une liste d'affections dont elle souffrait, et tout d'abord il hésita à lui montrer le chemin de son cabinet et à l'accepter comme patiente, car bien qu'ayant besoin d'un afflux de malades pour asseoir son autorité et ses revenus de guérisseur il n'était pas dupe et comprenait que cette femme porteuse d'affabulations risquait de le compromettre et que peut-être, même si elle n'en avait pas le dessein consciemment arrêté, elle s'incrusterait chez lui de telle sorte qu'il devrait non tenter de lui prodiguer des soins mais bien plutôt la chasser, voire la tuer, mais tandis qu'il hésitait il se sentait déjà succomber à son charme, car elle lui rappelait des drôlesses, des maîtresses, des filles et des merveilleuses qui avaient appartenu à des existences passées, et soudain en lui mille et cent mille images enfouies se désenfouissaient, des images de femmes, d'épouses ou encore de cavernes paradisiaques en lesquelles il avait trouvé compassion et abri jusqu'à la jouissance et jusqu'à obtenir le bonheur d'un détachement proche de l'éternité ou du décès, et, cessant de tergiverser, il l'invita à entrer dans la maison, dit aux sbires de reprendre leur faction devant la porte, et la conduisit dans un premier couloir, puis dans un deuxième, puis, s'effaçant pour la faire passer devant lui jusqu'au centre de son cabinet, il la pria d'ôter ses vêtements pour la durée de la consultation, puis il s'enflamma, car elle resplendissait, et, oubliant un instant les protocoles de la médecine, il se mit à déambuler dans la pièce, renversant bibelots et chandeliers et bientôt aussi la table et le divan de psychanalyse dont il ne s'était à vrai dire jamais servi, car il considérait cette science comme très peu efficace en comparaison avec la nécromancie, avec les invocations zodiacales et avec l'art des venins, et tenant des discours décousus qu'il aurait souhaités doux et persuasifs, mais que son échauffement immaîtrisé et la violence de sa respiration rendaient stridents et insupportables, toutefois, comme la femme, qui se tenait dénudée et superbe au milieu de cette agitation, avait jugé qu'il ne lui voulait aucun mal et, au contraire, exprimait par son impétuosité une sorte d'amour, et, ne manifestant qu'un effroi modéré, ne se rhabillait pas avec fébrilité et se contentait de plier avec élégance ses vêtements et sous-vêtements en attendant que la crise du médecin perdît de l'intensité ou même prît fin, il se calma peu à peu, lui présenta ses excuses pour la confusion qui régnait dans ses installations et appareillages, puis il l'ausculta, s'efforçant de ne lui causer aucune douleur ni gêne quand il plongeait aux tréfonds de ses organes pour en apprécier la résistance et les vices ou quand il prenait à pleines mains son foie et ses lobes pulmonaires, ou quand il déplaçait ses mécanismes ovariens afin de lui garantir à l'avenir des grossesses exemptes de toute complication même mineure, et, lorsqu'il eut ainsi vérifié dans le détail qu'elle était en parfaite santé, il lui demanda son nom, qu'elle lui confia non sans appréhension, car elle le trouvait ridicule, Maryse Odilone, et il eut un coup au cœur car ç'avait été le nom d'une de ses filles trente siècles plus tôt, mais il dissimula son trouble et, l'ayant rassurée quant au caractère charmant et musical de cette appellation, il la chevaucha et en fit son épouse, l'invitant à élire chez lui domicile et dès à présent à puiser à sa guise dans ses coffres d'or, qu'il avait en nombre et bien remplis, afin de répondre à toute envie qu'elle pourrait avoir de vêtements, de meubles, de bijoux et de futilités diverses, et, comme elle avait acquiescé, ils vécurent plusieurs années en bonne entente, Maryse Odilone et lui, et elle lui donna trois filles qu'il s'empressa d'envoyer dans des établissements spécialisés, d'une part parce que leur remarquable beauté dès la naissance l'incitait à redouter des abominations mentales qu'elles risquaient de développer quand elles atteindraient des âges ingrats tels que l'enfance, l'adolescence et les temps adultes, et d'autre part parce qu'il ne voulait pas s'encombrer de créatures qui lui eussent demandé des comptes dès l'instant où elles auraient dominé le langage, et qui peut-être plus tard eussent prétendu occuper dans sa maison et dans l'univers en général la place de leur mère Maryse Odilone, et, après un moment, il fut satisfait de recevoir par la poste les avis de décès de ses filles, qu'il avait prénommées en s'en fichant Amandine, Océane et Julienne, et qui le même jour, à la même heure et bien qu'éloignées l'une de l'autre par deux continents et trois mers, s'étaient effondrées, victimes de baves foudroyantes et de fièvres aux origines impures que les autopsies n'avaient pu éclaircir, et, tandis que leur mère Maryse Odilone se désolait de ne pas les avoir vues grandir et maudissait le destin qui les avait inexplicablement frappées, il se retira dans ses appartements et laissa éclater sa joie, choisissant parmi ses musiques gravées sur cire celles qui lui paraissaient convenir à la circonstance, des ambiances sonores de György Ligeti, de Georg Friedrich Haendel et d'Emmanuel Nunes, et s'asseyant dans l'obscurité afin de se répandre en immobilités bienheureuses, et, comme Maryse Odilone frappait à sa porte et exigeait dans la maison le silence absolu du deuil, il réveilla l'idée déjà depuis longtemps ancrée en lui qu'il s'était lassé d'elle, et, ayant admis une nouvelle fois cette évidence jusque-là secrète, il fit entrer Maryse Odilone et la tua, ordonnant ensuite à ses sbires de disposer de ses restes sans respecter le moindre rituel, car toute cérémonie eût obligatoirement mis la puce à l'oreille d'éventuels détectives et shérifs, raison pour laquelle Maryse Odilone demeura à jamais sans sépulture et n'eut pas droit à des funérailles célestes qui pourtant avaient sa préférence et dont elle avait espéré un jour bénéficier, car le bruit des ailes de vautour la fascinait et elle rêvait de l'entendre pendant les heures de conscience qui suivraient son décès, ni à une crémation nocturne, mais seulement à une plongée en plusieurs blocs à proximité des égouts municipaux, où des silures silencieux, voraces et obèses, faisaient des rondes permanentes, assez comparables, quand on y pense, aux cercles tracés sous les nuages par les charognards à plumes brunes, de sorte qu'une cérémonie de dispersion se déroula, malgré tout, qui permit à la composante organique de Maryse Odilone de rejoindre l'universel et à son principe vital de se recomposer, ce à quoi Hadeff Kakaïne eût pu mettre le holà, mais qu'il choisit de tolérer, car, en dépit de la lassitude qu'il avait éprouvée à son égard pendant leurs dernières années de vie commune, et en dépit du fait qu'il l'avait liquidée en usant de techniques brutales qu'on réserve d'ordinaire aux ennemis infiltrés et aux relaps, il continuait à nourrir envers elle des sentiments amicaux et une grande tendresse, et il lui souhaitait de se réincarner bientôt en une personne heureuse, toute en bien et en beauté, et de mener sous une enveloppe agréable une existence paisible, loin de lui et loin des milieux criminels et surnaturels qu'il l'avait contrainte à côtoyer, car à plusieurs reprises au cours de leur vie conjugale il l'avait associée à ses vilenies, à ses voyages dans les flammes, dans l'espace noir ou dans les catacombes oniriques d'où il dominait les rêves de tel ou tel roi, tel ou tel marchand ou tel ou tel gueux de ses connaissances, et, tandis qu'il pensait à elle et aux vases glauques où il avait recommandé qu'elle fût jetée, elle, de son côté, en femme puissante qu'elle était et une fois dissipée la confusion du crime qu'il avait commis sur elle, du dépeçage par les sbires et de l'immersion parmi les silures, retrouva une bonne part de ses esprits et de sa mémoire et, plutôt que de cheminer misérablement quarante-neuf jours en compagnie des peurs et des traquenards de l'espace noir, avec pour perspective la renaissance dans une famille soumise aux puissants et aux puissances, et tirant profit de l'expérience qu'elle avait engrangée au fil des années de son mariage avec lui, que maintenant elle considérait comme un monstre, non seulement parce qu'il l'avait assassinée, mais parce que magiquement il avait ourdi les agonies synchrones de ses filles, elle prononça les formules qu'il lui avait apprises et par lesquelles on pouvait entrer et sortir sans dommage de l'espace noir, puis elle se recroquevilla pour prendre des forces et se venger, murmurant plusieurs fois d'une voix capable de percer les murailles « Maryse Odilone va vers toi », « Maryse Odilone te déclare la guerre », « Maryse Odilone quitte les jardins et les tunnels que tu connais et elle va vers toi », et, comme il entendait, dans son cabinet où il avait allumé des dispositifs de surveillance de l'au-delà, sa voix déformée par le voyage et les promesses de mort qu'elle répétait, il s'en affligea, et même il resta plongé dans l'affliction durant quarante-neuf jours, à chaque instant allumant des bâtons d'encens pour apaiser l'âme de la défunte, quand ce n'était pas des grappes de pétards propres à chasser les mauvais esprits, ou braillant des prières qu'il savait impropres à traverser les longues distances de la mort, mais dont les sonorités litaniques le consolaient, sans oublier qu'il devait recevoir la vaste foule des curieux qui venaient en condoléance et qui, s'ils n'osaient pas s'approcher de lui et lui parler, du moins défilaient jour et nuit dans sa maison, la mine défaite par une tristesse fabriquée ou sur le visage des expressions patibulaires, en particulier quand il s'agissait d'enquêteurs qui, sous le prétexte de rendre une visite de courtoisie funèbre, cherchaient en réalité les indices d'un crime, et reniflaient à toute narine pour s'imprégner de l'atmosphère de thaumaturgie qui régnait dans les couloirs et les chambres et suggérait que pactes et pratiques démoniaques en constituaient le quotidien, et, comme cette foule ne diminuait pas et encombrait ses dépendances semaine après semaine, il prit l'habitude d'en extirper de temps en temps un inconnu ou une passante, leur proposant de l'assister dans ses mises à feu de bâtons, de spirales d'encens ou de pétards, ce qu'ils accomplissaient sans objecter et en tremblant, conscients qu'un écart de comportement ou de langage les précipiterait dans le malheur, et avec fièvre énumérant les qualités de la disparue, évoquant de façon déchirante son exceptionnelle bonté, son intelligence, son sens de la répartie et l'aura dont elle semblait en permanence illuminée, toutes louanges posthumes à quoi il réagissait tout au plus par un soupir qui mettait fin à l'échange, mais il lui arrivait aussi de sélectionner des individus qui selon lui avaient rapport avec la police criminelle, et alors sans peser s'ils étaient plutôt enquêteurs, délateurs ou indicateurs, il les attirait à part, comme anxieux d'établir avec eux des relations privilégiées, puis il leur demandait avec déférence leur carte de visite et notait leurs coordonnées avant de dépêcher vers leur officine ou leur domicile des tueurs qu'il faisait venir tout exprès des repaires goudronneux où ses rêves contrôlés le menaient, et qui, une fois leur tâche accomplie, repartaient sans laisser de traces ni conduire les soupçons vers lui, car vingt-quatre heures sur vingt-quatre il restait à la maison en compagnie de ses sbires et ses valets qui montaient la garde devant le portrait de Maryse Odilone, ce que les détectives étaient bien obligés de reconnaître et par là même de l'exclure, lui et ses serviteurs, de toute hypothèse liée à l'exécution mystérieuse de leurs collègues, et, alors que la septième semaine de deuil s'achevait, que les visiteurs et argousins s'étaient raréfiés et qu'il songeait déjà à reprendre la routine de son existence de thérapeute et à remettre de l'ordre dans sa demeure et ses vêtements, il était en train de s'accorder un peu de repos quand Maryse Odilone fracassa un mur de la maison et, ayant pénétré ainsi dans le monde des vivants, s'ébroua de l'espace noir qui collait encore un peu à elle et commença à marcher en sa direction, disant distinctement « Hadeff Kakaïne, je viens d'atterrir hors de l'espace noir, je vais vers toi » et « Hadeff Kakaïne, Maryse Odilone te prie de t'agenouiller devant elle afin qu'elle se venge de toi » et « À présent avec ma parole ou un couteau je vais te transformer en mort », ce qui ne l'effraya nullement et même ne lui fit ni chaud ni froid, car d'une part il avait déjà vécu situation semblable et s'en était extrait sans lésion, et d'autre part il était tenté d'en finir avec la morne vie de charlatan et trouvait fort sympathique l'occasion qu'on lui offrait de changer une nouvelle fois de dépouille, comme il l'avait fait déjà des centaines de fois, aussi il ne protesta pas et devant Maryse Odilone il se plaça en position de quasi-trucidé, lui présentant flanc et gorge, découvrant pour elle les endroits sensibles de son corps qu'elle aurait à percer en priorité, et, la voix enrichie par la solennité du moment et, de plus, par un regain de tendresse à l'égard de la justicière, il lança vers elle des paroles, disant « Maryse Odilone, tu viens à moi depuis des contrées sans lumière et sans durée, j'admire ton courage » et « Tu es venue à moi pour me tuer et je t'en remercie, car ainsi tu me déchargeras de ce fardeau que j'ai dû porter pendant mon séjour rue du Batelier-fou » et « Maryse Odilone, ensemble nous avons bien vécu », et, lorsque sans hésiter ni mot dire elle commença à le percer, vingt-sept traversées rapides du foie, douze longues balafres au cœur, cent onze coups à travers les os du crâne, du sommet du crâne à la luette, puis cinquante lentes aiguillades dans ce qui lui tenait lieu de gonades, il ne se débattit pas, se contentant de ne pas s'effondrer et par instants, entre deux allées et venues du stylet ou même pendant que l'acier démantelait ses organes, répétant encore « Maryse Odilone, quelque grief que tu nourrisses à mon égard, nous avons ensemble bien vécu » et chantonnant des prières par lesquelles à la fois il se préparait à son départ et endormait la douleur du présent, des hymnes principalement adressés à des divinités inexistantes ou mineures, mais aussi parfois des brassées de formules dont il veillait à ne pas souligner l'importance, les noyant dans le fatras des autres afin que Maryse Odilone n'en remarquât pas la teneur, et qui lui garantissaient un bon passage vers les ténèbres bardiques désormais toutes proches, en même temps qu'elles anéantissaient pour Maryse Odilone toute possibilité de s'en retourner dans un monde non infernal et la condamnaient à errer perpétuellement au milieu des esprits affamés et des fantômes, car, bien que se prêtant de bonne grâce à ce complexe poinçonnage dont il avait, au début de leur union, dévoilé pour elle les subtilités dans un ouvrage manuscrit qu'il lui avait donné à lire, il désirait malgré tout qu'elle fût punie pour cette agression impitoyable, et, après avoir une ultime fois prononcé dans un souffle où ne traînait nul reproche « Maryse Odilone, nous avons bien vécu », il s'écarta d'elle en vacillant, ouvrit pour elle une trappe qui menait au monde flottant et teinté de rouge où elle allait incessamment échouer et où elle errerait à jamais, infiniment malheureuse et infiniment solitaire bien que se heurtant à des formes désolées et souffrantes, semblables à elle, et pour lui une deuxième trappe, bardée de fer et de lard, inhumainement lourde et huileuse, qui menait aux immenses couloirs noirs et aux ciels noirs de la renaissance, et presque aussitôt ce qu'il laissait derrière lui s'effaça et il débuta sa marche tâtonnante vers une nouvelle matrice, se remémorant l'existence qu'il venait d'abandonner, mais aussi et surtout reprenant, comme après un détour, le cours normal de ses aventures, et le sentiment d'avoir de nouveau contact avec la chaîne de ses corps, de ses inquiétudes et de ses malheurs, d'avoir retrouvé les rails de cette succession cyclique d'existences, l'envahit soudain avec une telle violence qu'il interrompit sa progression et s'assit sur un dôme de suie tiède qui, à côté d'autres ondulations du chemin, lui avait paru attirant, puis, se mettant en position de méditation, les fesses confortablement calées dans la suie et la nuque dans le prolongement vertical de ce qui naguère avait été son épine dorsale, il laissa fondre sur lui des visions dispersées de son passé, afin de les ordonner pour en faire de l'avenir et afin d'accumuler repères et ancrages, indispensables au bien-être lors d'un périple en monde flottant, or ce dôme de suie tiède n'était autre qu'un piège métaphysique, et il commença à s'y enfoncer, d'abord jusqu'aux cuisses puis jusqu'au milieu du ventre, et, alors qu'il s'était préparé à assister sereinement au film de ses lointaines aventures et au défilé des personnes ayant joué un rôle important dans ses existences, en premier lieu des femmes, concubines et épouses et, évidemment, toutes les filles qu'il avait adorées, et dont rares étaient celles qui avaient connu le sort des enfants qu'il avait eues avec Maryse Odilone, et dont dès la naissance il avait décelé une forte capacité de nuisance, des côtés obscurs, une grande agressivité et de redoutables dispositions à la magie, le film s'interrompit, remplacé par des visions de divinités grimaçantes ou masquées qui toutes exprimaient à son égard une grande fureur, et, bien qu'il eût déjà à de nombreuses reprises emprunté le chemin du Bardo et qu'il sût que les premières journées du cheminement bien souvent s'accompagnaient de rencontres avec des formes courroucées, il avisa parmi les participants à cette danse effrayante trois jeunes princesses d'une exceptionnelle beauté, qui se déplaçaient avec mesure et même lenteur, et qui paraissaient plus réelles que les autres spectres, et, notant cette différence, il pensa qu'elles représentaient pour lui un danger plus grand que le reste de la troupe et il en ressentit une sourde inquiétude qui vite évolua en affolement, puis, comme elles avançaient en sa direction, il rassembla toutes ses forces pour s'arracher à la suie qui l'aspirait et il se leva, affaibli par son combat contre le piège et alourdi de graisses noires, et il leur fit face, prêt à les interroger sur leurs intentions, et, d'une voix qu'il eût désiré sonner avec plus de puissance, mais que l'obscurité et la poussière étouffaient, il proféra des phrases, malheureusement peu audibles et ponctuées de bégaiements qui trahissaient son épouvante, et, se rendant compte que ses hoquets et frissons de cordes vocales le présentaient à ses interlocutrices sous un jour défavorable, il y mit fin et se tut, puis il resta figé tandis que les trois créatures poursuivaient leur lente danse circulaire dont malgré lui il figurait le centre, il resta statufié et rempli d'une crainte à quoi s'ajoutait la honte, car il avait l'impression fausse mais insistante que la panique avait agi sur ses intestins et qu'à un moment il avait lâché au fond de ses culottes le contenu diarrhéique de ses poches excrémentielles, et c'est pourquoi, lorsque les princesses enfin s'adressèrent à lui, il fut au début tellement submergé d'humiliation qu'il ne réussit pas à saisir ce qu'elles dégoisaient, et qui était pourtant clair et pouvait se résumer en quelques points faciles à comprendre, elles étaient entrées là, dans l'espace noir, afin de poursuivre l'œuvre que leur mère, par méconnaissance de certaines pratiques exorcistes, n'avait pu mener à bien, et afin de l'empêcher d'avoir un parcours confortable qui le mènerait à une matrice et à la renaissance, tandis qu'elle, leur mère, allait errer sans repos parmi les esprits dévastés par la faim et parmi les fantômes hébétés de solitude, puis il se domina et, comme elles répétaient leur discours, il l'entendit pleinement et conclut qu'il se trouvait quasiment à la merci des trois filles qu'il avait conçues avec Maryse Odilone, et qu'il avait baptisées ignoblement puis confiées à des institutions criminelles pour les occire loin de tout témoin, et, dans l'idée de sauver sa peau et de les amadouer, il leur proposa de tenter de régler leur différend, si différend il y avait, en se promenant avec elles le long du chemin ténébreux du Bardo, et en marchant paisiblement comme un père le pouvait en compagnie de ses filles dont il avait été longtemps séparé, à tâtons dans les ténèbres mais paisiblement, ce à quoi elles rétorquèrent qu'elles n'avaient aucune envie de se balader avec lui dans les bas-fonds charbonneux de l'espace, et, comme elles persistaient à tracer des cercles autour de lui et à danser près de lui, à vrai dire sans vêtements et admirablement belles, il ne put se retenir de les désirer et il leur vanta l'excellence de certaines cavernes paradisiaques qu'il connaissait à proximité, et dans lesquelles il leur proposait de s'amollir avec lui, juste le temps d'une ou deux éternités, proposition qui les fit s'esclaffer cruellement, à la suite de quoi sa fille aînée de ce lit, nommée Amandine, lui porta un coup de sabre au niveau de l'entrecuisses, qui le blessa terriblement et l'offensa, disant « Ceci en mon nom, Amandine fille d'Odilone, et indépendamment d'autres représailles, afin que tes testicules saignent et te brûlent pendant douze mille semaines et treize siècles », et, alors que s'étant retenu de couiner de douleur il tentait de renouveler ses doucereuses invites, fleurissant ses mensonges de promesses de luxe et de volupté, elle fit un pas de côté et elle laissa s'avancer jusqu'à lui Océane, sa deuxième fille de ce lit, qui d'une seule virevolte experte de son sabre lui trancha à la fois la main gauche et la main droite, disant « Hadeff Kakaïne, monstre hideux, ceci en mon nom, Océane fille d'Odilone, afin que tes appendices rampent comme des tarentules dans la suie, reliés à rien, pendant treize mille ans et sept fois quarante-neuf semaines », et, alors qu'il s'inclinait péniblement vers le sol et plongeait ses moignons dans la grenaille noire de l'espace noir, cherchant sans commentaire à stopper l'hémorragie et à cautériser tant bien que mal ses plaies, sa troisième fille se plaça à son tour à distance de sabre, Julienne, sans doute la plus éblouissante des trois, la plus harmonieuse, et elle lui plongea la pointe de son arme en pleine bouche, allant et venant habilement entre ses mâchoires et réduisant en bouillie sa langue et ses organes arrière de phonation, et elle continua deux ou trois minutes à fouiller ainsi dans le bas de sa tête, d'une part éveillant en lui le souvenir de quinze mille ans de vociférations, de déclarations passionnées, d'objurgations et de moqueries incessantes, que dorénavant il ne pourrait plus répéter, et d'autre part provoquant une cascade de souffrances inouïes qu'il avait peine à supporter, et, alors qu'elle était demeurée jusque-là silencieuse, elle finit par déclarer « Moi, Julienne fille d'Odilone, je t'inflige ce châtiment au nom des Sept filles belettes, des Sept mésanges mineures et au nom de nos sœurs inconnaissables qui, te sachant dans ces parages obscurs, m'ont demandé d'agir, afin que tu avales et craches ton sang en lieu de palabres, et que tu l'avales et le craches pendant trois cent quarante-trois fois mille ans et neuf jours et nuits, sans répit et sans respiration autre que sibilante et douloureuse », or à ce moment il se sentit bafoué en excès et, peut-être aussi parce que cette superbe Julienne était dénudée au point qu'elle paraissait sans défense, ou parce qu'elle avait été trop bavarde, ce qui avait amoindri l'efficacité de sa gestuelle, ou encore parce qu'il faisait maintenant appel à des ressources mentales qu'il avait toujours gardées secrètement en réserve pour les cas de naufrage sans issue, ou pour toute autre raison, il se révolta contre le traitement qui lui était fait et il mit un terme à la passivité qui avait gouverné jusque-là son attitude face à ses filles, et, comme son corps venait d'être lamentablement mutilé, il l'estima impropre au combat et décida de s'en choisir un autre, et, ayant quitté de façon subreptice son enveloppe massacrée, comme il savait le faire pendant les phases les plus délicates des duels et des assassinats, il s'introduisit par surprise dans sa fille Amandine, qui se tenait à l'écart et qu'il n'eut aucun mal à pénétrer entièrement et vite, de l'extrémité des cheveux à l'extrémité des orteils, et en un instant il la priva d'autonomie, la momifia intellectuellement et s'empara de ses muscles, puis, sans révéler en quoi que ce fût sa présence dans un nouveau corps, il s'approcha traîtreusement d'Océane fille d'Odilone et il la fendit d'un coup de taille qu'il avait appris longtemps plus tôt sur un dojo d'Okinawa, et contre quoi il n'existait pas de parade, surtout s'il était exécuté comme ici sans prévenir et par félonie, puis, une phrase inepte lui étant venue entre les lèvres, il la jugea bonne à entretenir la confusion et sur un ton coléreux il déclara « Ainsi je te punis, sœur Océane, pour avoir séduit mon fiancé et t'être accouplée à lui pendant tes rêves », et, tandis que la moitié supérieure d'Océane Odilone marquait son incompréhension et usait de son dernier temps de parole pour demander « quel fiancé ? », « quels rêves ? », il se réjouit intérieurement, car la voix qui sortait de sa bouche était bien celle, musicale et grave, d'Amandine Odilone, et, d'autre part, il constatait qu'il avait tailladé sans remède sa fille Océane, et que maintenant celle-ci se tordait en deux morceaux à jamais séparés et affreux, dans la nuit, juste à côté des mains de Hadeff Kakaïne qui gigotaient lentement sur le sol comme deux tarentules arrosées de poison, et, se promettant de revenir à cet endroit afin de dépecer plus barbarement encore les deux moitiés déjà inertes, il rejoignit Julienne Odilone qui alternativement regardait la masse et la figure sanguinolentes de son père, sur qui elle travaillait au sabre, et sa sœur Amandine, qui venait à elle d'un pas traînant, légèrement souriante et rêveuse et néanmoins éclaboussée des liquides ayant giclé de leur sœur Océane, et, profitant de son désarroi, il s'approcha encore d'elle, arrivant à une distance idéale pour la frapper ou pour bloquer sa lame si jamais elle retirait celle-ci de la dépouille de

Hadeff Kakaïne et la dirigeait sur lui, et, par jeu plutôt que par nécessité, il engagea avec elle une conversation, d'abord s'expliquant sur l'exécution d'Océane, disant d'une délicieuse voix d'alto « Elle m'avait volé mon fiancé en plein rêve » et « je les ai surpris alors qu'ils venaient de passer de la danse nuptiale au coït », puis, sans tenir compte de l'objection atterrée de Julienne qui, comme sa sœur l'instant d'avant, demandait « quel fiancé ? », « quel rêve ? » « quel coït ? », se répandant en considérations sur le temps qu'il ferait le lendemain, sur le cannibalisme, sur les avantages de la retraite par répartition, bref, parlant de choses et d'autres, et, quand Julienne Odilone, qu'il sentait sur la défensive, lui eut demandé si elles n'étaient pas toutes trois victimes d'un piège métaphysique qui les avait conduites à s'entrecouper sans raison, et en tout cas d'un atroce tour de sorcellerie où leur père eût joué un rôle déterminant, il émit un rire gracieux et, de cette chaude voix grâce à quoi même dans les ténèbres les plus opaques on identifiait toujours Amandine Odilone, il développa un raisonnement selon lequel leur père Hadeff Kakaïne avait été dévasté de toutes ses puissances dès le premier coup de sabre, ce qu'attestait son manque de réaction aux assauts qu'elles lui avaient infligés, et que peut-être seules ses mains, qui trottinaient plus loin dans la nuit, avaient conservé un peu de principe vital, mais bien peu, une flamme qu'il éteindrait en même temps qu'il procéderait à l'équarrissage final d'Océane Odilone, mais son raisonnement ne convainquit pas Julienne Odilone, qui avait reculé et, ayant dégagé sa lame de la tête de Hadeff Kakaïne, à présent se tenait en garde et fort méfiante, la lame apparemment orientée vers le vide mais en réalité prête à accueillir un coup, à le dévier et aussitôt à filer à très grande vitesse vers le ventre ou la gorge de sa sœur, pour le cas où celle-ci mènerait une attaque, et, au bout d'un moment, il laissa ses phrases ineptes en suspens et se laissa porter, bien que sur le qui-vive, par la contemplation de l'image dans laquelle Julienne et lui se trouvaient… une obscurité effroyable sur l'horizon, en quelque direction que se portât le regard… un faible éclairage sur la scène centrale… le centre proprement dit, deux filles d'une merveilleuse beauté se faisant face… nues, immobiles, avec des perles de sang un peu partout sur le corps… les cheveux en cascade jusqu'au milieu du dos, extrêmement noirs… deux duellistes nues, s'observant sans relâchement, sans battre les paupières… les sabres souillés… à quelques dizaines de pas, la troisième fille gisant dans la suie, en deux portions immondes… son visage enfoui dans le sol… deux mains semblables à des araignées comme en chemin vers la tête à demi immergée, comme s'étant fixé pour objectif une oreille, une joue… les deux jeunes femmes debout, qui poursuivent leur affrontement sans se mouvoir et sans ciller… à côté d'elles, mutilée, tailladée en tous sens, oblique, la carcasse morte de leur père… puis il décida de ne pas s'éterniser dans cette image qui pouvait, à la longue, susciter des glus métaphysiques dont il n'aurait pas le contrôle, et, prenant le risque d'un désarmement unilatéral, il écarta les bras et jeta au loin son katana, et, tandis qu'il s'efforçait de faire ruisseler sur ses joues des larmes éperdues, comme autrefois il l'avait vu faire à des actrices au dernier acte de médiocres tragédies écrites par de médiocres dramaturges tels que Léonce Brock, Gudzouf Ping ou Jean Mitroyakis ou d'autres pires encore, il s'adressa à Julienne Odilone d'une voix soudain non charmeuse mais désolée, lui représentant qu'entre sœurs une telle bataille mortelle n'avait pas de sens et qu'il préférait être transpercé par elle plutôt que ne fût-ce que l'égratigner avec sa lame, et prononçant cela au milieu de sanglots et de remarquables afféteries de comédienne il ouvrait les bras de plus en plus amplement, à la fois anticipant une étreinte et offrant sa poitrine à l'acier de son adversaire, ce qui décontenança Julienne Odilone et fit monter en elle un bouquet de sentiments variés où s'entrelaçaient nostalgie d'un bonheur sororal, circonspection de duelliste, angoisse, attirance pour l'amour, attirance pour la mort, la poussant à finalement baisser son arme puis à la lâcher sans regarder comment elle se plantait dans la suie, et, comme il ne parlait plus mais continuait à répandre des larmes abondantes, la décida à aller vers lui, et bientôt il l'accueillit contre lui et l'embrassa, serrant ses seins et son ventre contre ceux de sa sœur, mêlant ses cheveux aux siens et ses larmes aux siennes, car Julienne Odilone après avoir résisté à l'émotion maintenant y succombait et s'était mise à balbutier à son oreille des paroles affectueuses et très touchantes, et, profitant de l'instant, il fit glisser sa main droite sous les étourdissants cheveux de Julienne et, ayant esquissé une caresse sur sa nuque, il paracheva son geste en lui pinçant deux vertèbres du cou, en les arrachant brusquement à son épine dorsale et en les lançant au loin, ce qui instantanément interrompit leurs effusions et réduisit Julienne Odilone à une loque déjà ni animale ni vivante, qui tenait debout par miracle et n'aurait plus de sursaut organique jusqu'à son extinction, et il s'écarta d'elle, disant « Moi, Amandine Odilone, je ne te dis pas qui je suis, car maintenant tu ne tiens debout que par miracle et tes fonctions auditives ont pris fin » et « Je t'ai retiré ce qui te donnait une apparence de vie dans l'espace noir, j'ai ôté de toi ce qui t'autorisait à attaquer ton père Hadeff Kakaïne, et maintenant durant quarante-neuf jours et nuits tu vas gésir sur la suie, perdant progressivement tous tes liquides, entourée de débris carnés appartenant aux uns, aux unes et aux autres, puis toute lumière s'évanouira en toi et tu seras pour toujours une créature sourde et aveugle perdue dans le néant », puis, afin que nulle vibration venue d'ailleurs ne pût l'aider à se remettre sur pied, il se baissa vers son corps, introduisit les mains en elle et fit sept nœuds magiques autour de sept de ses organes principaux, le foie, le cœur, la rate, le cervelet, la poche à bile, la poche à rêves, les ovaires, et, tandis qu'elle finissait de se tordre sur le sol avec une grande lenteur, à jamais déstructurée et impuissante, il s'en désintéressa et alla s'occuper des deux moitiés d'Océane Odilone qu'il divisa encore plusieurs fois au sabre, puis là aussi il conclut son travail en bouclant sept nœuds magiques autour de ce qui subsistait des sept organes principaux de sa fille, et, comme la lumière déjà presque inexistante baissait encore, il se mit en route vers le nord-est, abandonnant sans sépulture les dépouilles éparpillées d'Océane Odilone, de Julienne Odilone et de Hadeff Kakaïne, et ainsi d'un bon pas et ne comptant pas les journées il franchit d'énormes distances, assez fier au fond d'avoir hérité du corps de sa fille Amandine, car même s'il n'était pas question pour lui de le contempler dans l'eau d'un miroir ou d'un ruisseau, il en avait vu la perfection et il en sentait la jeunesse, l'élasticité, la fermeté et l'énergie, et, alors qu'il réfléchissait à l'avantage qu'il y aurait pour lui à conserver ce corps et cette identité, il fit une mauvaise rencontre à la sortie d'un terrain vague, deux colosses… deux démons au physique herculéen… le premier, un visage figé d'idiot… le second, une physionomie plus mobile, malveillante… tous deux pratiquement nus, à la ceinture un cache-sexe qui ne cachait rien… l'âme inaccessible à ses sorcelleries, sans doute protégée par une trop graisseuse couche de bêtise… ils s'emparèrent d'Amandine Odilone en l'empoignant aux cheveux et, comme s'il s'agissait d'une poupée désarticulée ou d'un animal à assommer, ils la firent voler contre le sol… et ensuite, avec une brutalité inouïe, ils la violèrent… roulis et tangage de mâles humains aux chairs lourdes… interminables saccades finales de verrats… puanteur des haleines… torrents de sperme… Amandine Odilone tétanisée sous la masse de ses agresseurs… ne songeant à rien, ayant fait le vide dans son esprit afin de moins souffrir… comme morte assistant à l'enfer depuis ses sept organes principaux… incapable, dans ce déferlement, d'entrevoir ou d'élaborer un plan de vengeance… puis inerte, quand ils furent fatigués et la laissèrent… et, alors qu'ils se tenaient à deux pas de son corps effroyablement souillé, elle les entendit qui se concertaient pour savoir s'ils allaient reprendre plus tard leur pratique sexuelle que la nuit et la lassitude avaient interrompue, ou s'ils devaient la tuer et, si oui, s'ils devaient la désosser pour en dégager la viande et, si oui, s'ils allaient se donner le tracas d'aller à la quête de bois mort et d'un briquet pour rôtir ses chairs, ou, même si le repas promettait d'être moins succulent, s'ils se contenteraient d'en dévorer crues les parties les plus tendres, et, de plusieurs réflexions qu'elle avait réussi à traduire de leur langue fruste, elle comprit qu'ils ne disposaient que d'un unique vocable pour « femme » et « viande », et que, ayant finalement choisi de faire un bon feu pour se régaler des morceaux qu'ils auraient prélevés sur elle, et ignorant combien de temps allait durer leur recherche de brindilles et d'herbes aromatiques, ils discutaient à présent de la meilleure manière de la maintenir en vie jusqu'à leur dîner, car, saisis de scrupules culinaires et ignorant combien de temps allait durer leur recherche de combustible et d'assaisonnement, ils ne désiraient pas que leur futur objet de ripailles se faisandât en leur absence, à la suite de quoi ils la ligotèrent à un poteau de fer puis s'en furent, ce qui ne la dérangea pas car elle était habile à désembrouiller les écheveaux et à détricoter les épissures, et, alors que les deux géants disparaissaient à l'horizon, elle se dégagea sans peine de ses liens et aussitôt quitta l'endroit dont en dépit de la nuit elle voyait mieux maintenant les détails, une palissade effondrée, les résidus d'une ferme... des piquets de fer... effleurant sous la suie une terre fangeuse, grumeleuse, qui avait été pendant des générations gorgée de purin... des sentiers durcis par les bêtes... un ciel sans lune et sans étoiles... et, encore vacillante un peu, elle prit une direction au hasard, dégoûtée d'elle-même et des mauvaises odeurs que les violeurs avaient mises en elle et sur elle, toutefois, bien que sachant que l'univers où elle se déplaçait était avare en points d'eau, elle ne renonçait pas à l'espoir d'aboutir à un robinet, à une canalisation crevée ou à un lac, et, effectivement, après une semaine de marche pénible, car les blessures physiques et mentales qu'elle avait reçues continuaient à lui procurer honte et détresse, elle aperçut près de la route une borne d'incendie et, alors qu'elle avait commencé à en dévisser la vanne, un homme apparut qui lui demanda de quel droit elle pensait pouvoir accéder à une eau qui ne lui appartenait pas, et qui sans attendre ses explications lui annonça que plusieurs voyageuses, au cours des décennies écoulées, s'étaient présentées devant cette borne, que ce fût dans l'intention de se désaltérer ou dans l'idée de se débarbouiller des sanies et des crasses accumulées pendant leur errance, et que toutes, étant démunies d'or ou de dollars, avaient dû en l'absence de monnaie payer de leur personne, s'allonger près de la borne et en satisfaire sexuellement le gardien, selon une échelle tarifaire que déjà il se préparait à lui exposer, or elle l'interrompit d'un geste et lui dit « Moi, Amandine Odilone, je te parle », et « Je veux me laver des substances et des pestilences que deux colosses m'ont inscrites sur le corps et des germes et des souillures qu'ils ont enfournés dans mes parties intimes », puis, ayant examiné cet homme qui avait un masque d'obstination mauvaise, elle eut la curiosité de s'informer auprès de lui au sujet des deux mastodontes qui l'avaient violée, décrivant sommairement leur ossature monstrueuse, leur cache-sexe qui ne cachait rien, l'air idiot de l'un et l'air dément de l'autre, et son interlocuteur hocha du chef et sortit un tranchoir d'une poche de son pardessus et il dit, ou plutôt il bougonna en allant vers elle comme vers une brebis d'abattoir, « Je les connais, ce sont mes frères, ils m'avaient prévenu que leur viande allait passer », et, plus que le tranchoir ou le refus d'ouvrir la vanne, ces paroles révoltèrent Amandine Odilone à un point tel que, sans le toucher, elle infligea à l'homme une douleur térébrante, réglant celle-ci pour qu'elle le fasse souffrir et l'aveugle jusqu'à sa mort ou jusqu'à ce qui en tiendrait lieu, puis, comme l'homme subitement privé de vue gesticulait en hurlant et tranchait l'ombre avec une frénésie si désordonnée qu'il menaçait de s'automutiler, elle lui cassa les clavicules puis lui arracha les bras au niveau des coudes, et, le laissant ensuite s'agiter et vociférer vainement dans le noir, elle se pencha au-dessus de la borne et débloqua la vanne, or c'est à peine si un filet s'échappa de la canalisation, et elle songea que l'homme avait prévu de la tromper, exigeant d'elle d'infectes succions et pénétrations en échange de quelques gouttes, et, comme l'eau ne venait pas, elle alla explorer la masure de l'homme et elle n'y débusqua rien d'autre qu'un seau à pisse à moitié plein qu'elle alla lui vider dessus, ainsi aggravant son humiliation et les sensations de brûlure sur ses plaies, et elle lui dit « Moi, Amandine Odilone, je te parle » et « tu appartiens au noir et tu agoniseras longtemps dans le noir » et « À aucun moment ta douleur ne s'atténuera, et tu finiras recroquevillé dans la suie et dans la pisse, au centre de ton immense solitude », puis, après un moment, elle lui annonça « Moi, Amandine Odilone, je vais poursuivre ma route vers ma renaissance et, comme je n'ai pu me laver ici, je vais continuer à porter sur moi les boues et le souvenir punais de tes frères, sans pouvoir aucunement m'en débarrasser, mais sache bien que lors de ma prochaine incarnation les mâles qui essaieront de reproduire sur moi cette ignominie seront traités comme je viens de te traiter, et, si possible, plus cruellement encore », car son intention, si elle renaissait fille, était de ne pas oublier les avanies qu'elle avait subies dans l'espace noir et de s'en venger sur tout représentant du sexe masculin qui la forcerait ou même seulement l'inviterait à avoir avec elle des relations charnelles, et, sans un regard derrière elle, elle se mit en marche, or au troisième jour elle vit un lac d'eau pure et elle s'y baigna pendant un jour et une nuit, raclant et frottant millimètre à millimètre ses extérieurs et ses intérieurs, nettoyant sa chevelure cheveu à cheveu, fermant souvent les yeux pour ne pas voir contre elle l'eau noire et très-noire, au-dessus d'elle le ciel noir et très-noir, et tout autour d'elle le paysage noir et très-noir, grattant sous ses ongles les ultimes traces de poussière et de sang, expulsant de ses glandes et de ses organes principaux les ultimes sanies, de sorte que lorsqu'elle sortit du lac elle était à nouveau une fille fière et imbrisable, et certainement l'une des plus belles du monde, et, après avoir noué ses tresses en couronne, ce qui lui donnait un air étrange de reine nue, elle parcourut d'abord environ vingt lieues sans rencontrer âme qui vive, puis, alors qu'elle entrait dans une zone modérément montagneuse, elle vit devant elle trotter sept chevaux, chacun monté par un cavalier encapuchonné, et au début elle se méfia et même prit peur, puis elle se souvint de la légende des Sept cavaliers inconnaissables, une histoire qui avait été gravée à son insu dans son patrimoine génétique et dans laquelle son père n'avait pas joué un rôle glorieux, et elle se dit que sa crainte était infondée et que les cavaliers, loin de la mettre en péril, lui fourniraient compagnie et protection dans la traversée de ces lugubres contrées, et la guideraient sur une bonne partie du chemin qui la conduisait à l'entrée d'une matrice, et, quand elle se fut approchée d'eux, ils se retournèrent vers elle et ils lui dirent qu'ils avaient ralenti le pas de leurs montures depuis plusieurs heures afin qu'elle les rattrape, car ils avaient deviné qu'elle était Amandine Odilone, qui allait sur la route d'une vengeance radicale contre son père, et qu'eux-mêmes arpentaient la région depuis plus de mille ans, inlassablement fouillant les espaces noirs, les mondes et les sous-mondes, dans l'espoir d'enfin mettre la main sur ce personnage dont ils ne pouvaient prononcer le nom, Hadeff Kakaïne, sans une éructation de mépris, et qu'ils disaient non né et non décédé, vagabond malveillant des routes droites autant que des chemins traversiers, magicien et abuseur de magie, sorcier et abuseur de sorcellerie, maître des codes génétiques depuis mille générations, possesseur indu de souvenirs, gueux immortel et roi clandestin, jeteur de sorts, contempteur des règles universelles, manipulateur et jouisseur de toute réalité quelle qu'elle pût être, expert en déguisement, voleur de peaux étrangères, expert en silence et en immobilité, doué pour la dissimulation et doué pour la cryptobiose, séducteur de créatures en tous genres, assassin aux techniques imparables, polygame frénétique et baroque pendant certaines ères géologiques, monogame amoral pendant certaines autres, s'arrangeant avec sa semence pour n'avoir jamais que des filles, n'ayant pour filles que d'exceptionnelles beautés, briseur de lois physiques élémentaires, capable du pire, hypocrite en face de ses amis comme en face de ses ennemis, sans broncher acceptant ou ordonnant le démantèlement des autres et la chute vers l'obscurité de pans entiers du monde, pratiquant l'onirologie à outrance et trouvant aisément abri dans des songes aliènes, aimant confondre l'infinitésimal et le grandiose, aimant les oripeaux de l'humilité et de la défaite, les aimant par mépris aristocratique de son propre destin et par convenance, car, au contraire des vivants et des morts qui peuplaient les infinitudes du malheur, lui s'en abreuvait et s'en moquait, et, quand ils eurent déversé ainsi leurs qualificatifs, ils la prièrent d'entrer dans leurs rangs pour qu'elle participât avec eux à leur traque millénaire, déclarant que s'ils lui faisaient cette proposition c'était parce qu'ils avaient eu vent de sa haine envers Hadeff Kakaïne et du traitement qu'elle avait dû subir à la naissance, quand elle avait été séparée de ses sœurs Océane et Julienne et envoyée dans une institution médicale spécialisée en lobotomie, démembrement et taxidermie, ou des docteurs à la solde de son père n'avaient pas tardé à mettre en œuvre sur elle, et, ailleurs, sur ses sœurs, des traitements mortels et dégradants, et, passive durant leur longue analyse, elle se contenta d'acquiescer doucement, puis elle leur annonça qu'elle les aiderait de son mieux à trouver la piste de son odieux géniteur, et bientôt ils se remirent tous en route, menant leurs bêtes par la bride et essayant de l'égayer avec des plaisanteries à vrai dire peu habiles, des anecdotes de cimetière et de soudards, puis, constatant qu'elle riait peu, ils engagèrent un débat propre à l'animer, d'abord sur l'extinction des grizzlis en zone urbaine, puis sur les progrès de l'endocrinologie depuis la fin du marxisme-léninisme, puis, voyant qu'elle ne réagissait à leur bavardage que du bout des lèvres, ils choisirent d'autres sujets de polémique, ainsi l'avenir des batraciens, l'origine possiblement extraterrestre des tardigrades, les conditions d'adhésion à l'Internationale communiste, la confection de la mayonnaise en présence de Tibétains, la fossilisation des malades atteints de gangrène et la vente d'occasion des ouvrages post-exotiques, et, comme elle ne manifestait pas d'enthousiasme sur ces sujets qui pourtant entre eux suscitaient des discussions fort vives, ils avancèrent quelques heures en silence, puis ils décrétèrent qu'il était temps d'établir un bivouac, entravèrent leurs chevaux et s'assirent autour d'un maigre feu de camp, puis, quand celui-ci fut sur le point de s'éteindre, ils indiquèrent à Amandine Odilone un endroit abrité où elle pourrait s'allonger et avoir ses aises, puis ils se roulèrent en boule pour dormir sur le sol noir, et bientôt il n'y eut plus rien sinon de l'obscurité, des ruminations de bêtes et des soupirs ensommeillés, mais alors qu'elle fermait à demi les yeux, feignant de s'assoupir, un des frères cavaliers vint se coucher près d'elle et, sans lui demander son avis, il se livra sur elle à des attouchements comme les prêtres font aux enfants, puis il abusa d'elle, et, comme par lassitude et répugnance des choses du monde elle ne s'était pas débattue, il s'imagina que sa prestation sexuelle lui avait plu et qu'il avait noué avec elle des liens affectifs, et, bêtement attendri, il lui dit son nom de cavalier inconnaissable, ou plutôt, comme ce nom ne pouvait en aucune circonstance être révélé, il lui confia l'appellation par laquelle, selon lui, on identifiait depuis des siècles l'appendice qu'il possédait entre les jambes, et dont il était très fier, disant avec une solennité ridicule « Cette belle tige brûlante avec laquelle je t'ai honorée, il te suffira, où que tu sois, de prononcer son beau nom pour qu'aussitôt elle se dresse à ton côté et de nouveau t'honore », puis « Par amour de toi, Amandine Odilone, je t'offre son nom qui est Cheval-de-mercure », à la suite de quoi il se leva et se fondit dans les ténèbres pour aller dormir près de ses frères, et ainsi une semaine passa, chaque journée ressemblant à la précédente et chaque nuit ne différant que très peu de celle d'avant, car quand le feu s'éteignait un des sept frères allait la retrouver, et l'un après l'autre les cavaliers inconnaissables reproduisaient les mêmes gestes et les mêmes discours, se méprenant sur son apathie et croyant y voir une marque d'intérêt amoureux, et, après l'avoir possédée physiquement, lui chuchotaient à l'oreille le nom magique de leur verge dont ils lui vantaient l'aptitude à surgir au moindre appel, et ainsi, au bout d'une semaine, non seulement elle eut en tête sept noms de phallus, mais encore elle se sentit aussi sale et humiliée, aussi maltraitée, mentalement broyée et dégoulinante de déjections qu'après la rencontre avec les colosses, et, après la septième nuit, elle se leva comme elle s'était levée tous les matins, mais prétendit qu'elle se sentait légèrement barbouillée et qu'elle préférait attendre ici un moment que son malaise s'évanouît, les incitant à prendre la route et leur promettant de bien vite s'engager à leur suite et d'être avec eux au prochain bivouac, et, comme ils ne la soupçonnaient pas de perfidie, ils enfourchèrent leur monture et partirent, et, quand ils furent hors de vue, elle se nettoya des croûtes de liqueur séminale et des humeurs dont les cavaliers avaient parsemé son corps, puis elle commença à avancer à vive allure dans la direction opposée à celle qu'ils avaient prise, n'hésitant pas à recourir à des chansons sorcières pour étirer entre elle et eux des distances infranchissables, volant à moitié dans l'obscurité épaisse et produisant des sifflements, de sorte qu'à la tombée du soir elle calcula que, même s'ils faisaient à présent demi-tour, ils ne la rattraperaient pas, et elle résolut de manigancer aussitôt une manière de se venger d'eux, tout d'abord s'interrogeant sur la nature profonde de celui ou de celle qui allait engager des représailles, car si, par bêtise et présomption, ils n'avaient pas décelé en elle la présence de Hadeff Kakaïne, celui-ci avait toute raison de vouloir se débarrasser d'eux, qui le traquaient sans relâche depuis des milliers d'années, mais ensuite décidant que l'affront qu'elle avait subi demandait une réparation immédiate, car pendant ces nuits où ils pensaient avoir avec elle un commerce passionné ils l'avaient en réalité traitée comme une catin atteinte de crétinisme, comme une pouffiasse en captivité, comme une viande, et elle résolut de prendre elle-même les choses en main et, disant « Moi, Amandine Odilone, je vais vous punir de votre fate vilenie », elle creusa dans les cendres terreuses et dans la terre cendreuse une fosse au fond de laquelle elle alluma un feu dont les flammes lui obéissaient, puis elle invoqua d'une voix surnaturelle, feulante et impérieuse, les sept pénis des sept cavaliers, qui dix ou quinze secondes plus tard arrivèrent devant elle en bon ordre, Cheval-de-mercure, Chemin-des-délices, Éclair-obscur, Anguille-fatale, Jean-Sébastien, Voyageuse, Grande-épine, tous tressautants et joyeux, prêts à l'emploi et ne se posant aucune question, tous comme leurs maîtres démontrant une vanité sans bornes et une grande assurance, et elle les fit basculer l'un après l'autre dans le trou, ordonnant aux flammes de ne pas les carboniser, mais de les revêtir d'un tissu de feu atroce et rongeur qui les supplicierait pendant onze mille quarante-sept fois trente-neuf mois, et, alors qu'elle se penchait vers la fosse où brûlaient les misérables et misérablement orgueilleuses verges des cavaliers qui, sans lui demander son avis, avaient joui en elle et l'avaient traitée comme une esclave sexuelle consentante, désireuse de s'assurer qu'au fond de la tranchée de suie qu'elle avait magiquement creusée le feu avait bien pris et promettait de persévérer onze mille quarante-sept fois trente-neuf mois dans ses pétillements, ses lentes fulgurances et ses braises, alors qu'elle sentait sur son merveilleux visage s'épandre la tiédeur revigorante de sa vengeance, elle aperçut à main gauche une lueur qui paraissait annoncer le germe d'une aube à venir, d'une aube possible, et, ayant déterminé que cette coloration inhabituelle pouvait lui tenir lieu d'amer, elle envisagea de naviguer vers cela pas à pas, et, comme toutefois elle se méfiait des apparences et des pièges métaphysiques que d'innombrables anciens ennemis avaient lâchés ou oubliés derrière eux, elle ne se pressa pas tout d'abord et resta encore quelques semaines près de la fosse, puis, comme l'univers autour d'elle ne semblait pas vibrer malignement, elle se mit à marcher d'un pas élastique et infatigable de voyageuse, se répétant « Moi, Amandine Odilone, je vais » et « Amandine Odilone emprunte le chemin d'une aube possible », et, tandis que le paysage défilait sur ses flancs, imperturbablement identique à lui-même et combinant l'absence de ciel à l'absence de couleur, elle fut forcée de constater que la lumière vers laquelle elle se dirigeait non seulement ne variait pas, mais avait tendance à s'affadir, bientôt devenant imperceptible sur le noir total de l'horizon, ce pourquoi, au bout de plusieurs journées et nuits harassantes, elle ralentit son élan et déclara « Moi, Amandine Odilone, je ne renonce pas à aller vers l'aube improbable », mais la déception s'était introduite malgré tout en elle et, pour se donner du courage, elle commença à chanter quelques épopées et bylines d'avant la formation des mondes et, en gros, du temps légendaire du Big-Bang dont elle avait conservé, à l'intérieur d'empreintes génétiques sorcières, dans des salles hermétiques de sa mémoire, une grande nostalgie, épopées et bylines qui se développaient en démesure sur des milliers d'épisodes ou, à l'inverse, se réduisaient à un seul bref poème, au point qu'on pouvait en ce cas les déclamer intégralement en un souffle, telles « La complainte des sept cent sept naines rouges » ou « Malvilla mère de toutes les mers » ou « Les éternelles dormeuses », ou encore « Amours incestueuses sur le Glomostro », et, bien qu'ayant à peine entamé le répertoire, elle changea de genre et se lança dans un cantopéra vociférateur, accumulant trilles et notes suraiguës jusqu'à ce que le goudron sous ses pieds, ou ce qui en tenait lieu, de pieds, de goudron, se hérissât de pointes buboniques, puis, comme le silence retombait et que les piquants noirs sur la plaine se résorbaient, elle se résolut à prendre une direction plus fiable que celle de cette lumière vacillante qui avait disparu depuis des semaines, et elle décida brusquement de choisir une orientation plus raisonnable et de s'en remettre au hasard, et elle tira aussitôt au sort parmi les divers points cardinaux qui étaient à sa disposition, et, comme le nord-nord-est s'était avec insistance présenté à sa conscience, elle en fit la ligne générale de son déplacement, quoique non sans prudence, car elle ne se précipita pas et s'astreignit au contraire à patienter quelques mois, bivouaquant sans bruit dans l'immobilité et les ténèbres, puis elle prit à droite un sentier qui la conduisit à une succession de monticules et de collines qui exhalaient une odeur de terre carbonisée, de rouille, de bistre, et de ce que les morts parfois appellent, pour des raisons obscures, « du fromage d'outre-tombe », et, au détour d'un de ces reliefs et sans que rien ne l'eût annoncé, elle se heurta à une muraille qui, pour toute créature n'étant pas experte en thaumaturgie, eût paru infranchissable tant pour sa hauteur prodigieuse que pour son épaisseur, et, peu inquiète de laisser derrière elle les ténèbres, les petites monstruosités noires, les horizons parfaitement goudronneux et l'infinie absence de toute chose et de toute entité susceptible de vivre ou de mourir, elle s'enfonça dans la pierre et, sans transition, elle se retrouva dans un espace éclairé, et, ayant traversé quelques tombées de tissu et des tentures, elle estima que, pour s'adapter au plus vite à la situation, le mieux pour elle était de s'allonger sur l'estrade qui l'accueillait et que des préparateurs avaient recouverte de drap blanc et de coussins, car à présent elle occupait le centre des regards et, bien que fantastiquement nue, elle ne semblait pas être ici, sous la lumière éblouissante d'une journée d'automne, déplacée ou incongrue, et, dans la mesure où tout le monde la contemplait, elle ne chercha aucunement à rompre la continuité des choses et elle se contenta de laisser paraître sur ses lèvres un discret sourire, puis elle s'immobilisa, prenant avec naturel une pose alanguie et gracieuse qui mettait en valeur, de quelque angle qu'on la considérât, la phénoménale beauté de son corps dévêtu, et, autorisant ses yeux à bouger lentement, elle prit connaissance de l'endroit où elle avait abouti, en réalité un atelier dans une école de beaux-arts, une salle abondamment éclairée par de nombreuses fenêtres, dans laquelle étaient regroupés des étudiants et des étudiantes venus étudier le tracé des formes humaines à partir d'un modèle vivant, et, ne s'attardant pas à réfléchir à des questions sans réponse, comme par exemple de savoir si oui ou non elle possédait des formes humaines, ni si son statut organique l'autorisait ou non à se prétendre vivante, ni même si, au fond, ses chairs et sa peau splendides avaient un caractère féminin ou non, elle fit à travers ses cils le tour de la scène, sept apprentis et leur maître… tous concentrés sur une planche qu'ils appuyaient sans élégance sur leurs genoux… levant de temps à autre leurs yeux vers leur modèle, comme s'abreuvant à l'image avant de la copier sur leur feuille… le maître parfois quittait le fauteuil où il lisait un journal, posait le journal à cheval sur l'accoudoir, déambulait sans rien dire parmi les apprentis, ne corrigeant rien, ne lâchant ni conseil ni critique… les apprentis entre l'adolescence et l'âge adulte… quatre filles aux cheveux coupés court, les crânes presque rasés, des crânes rasés de soldates adolescentes… trois garçons aux longues crinières serrées sur la nuque par un catogan… une suite de visages sans traits remarquables, encore vierges d'expérience et de chagrin, des peaux à la merci de la moindre poussée d'acné… au-delà de ces jeunes gens, derrière les fenêtres, un jardin, des allées gravillonnées, des façades néogothiques… l'air frais, humide, des régions septentrionales… puis, comme il lui semblait, suite à ce rapide examen des lieux, qu'elle ne s'était pas fourrée dans une nasse métaphysique et que l'atmosphère était paisible, elle s'intéressa de plus près à l'enveloppe charnelle dont elle venait de prendre possession, disant « Moi, Amandine Odilone, je suis maintenant en toi » et « Moi, Amandine Odilone, j'habite tes chairs et les habiterai jusqu'à ta mort, et je vais derechef ouvrir ton esprit afin que ce qu'il contient se déverse dans le mien », et, après avoir décapsulé tous les pauvres vaisseaux hermétiques et brisé à formidable vitesse toutes les pauvres défenses que son hôtesse, qui avait sans la comprendre senti l'intrusion, lui opposait, elle sut le nom de la jeune femme, Wolnika Epstein, ainsi que le nom de guerre qu'elle adoptait dans le milieu interlope des bars, des motels et des dancings où il lui arrivait de monnayer les pénétrations, les baisers, les léchages, les branles et les sucements que ses partenaires d'un soir, hommes ou femmes, avaient hâte d'accomplir avec elle, ou du moins avec son corps, qu'ainsi elle acceptait d'offrir et d'humilier en échange de dollars qui lui permettaient de financer ses études, Bella Ciao, le nom de guerre, en biologie sous-marine, ses études, et, trouvant à son goût ce surnom, elle se l'appropria, disant à son hôtesse avec douceur, car elle ressentait pour cette fille une immédiate sympathie, et avec fermeté, car cette formalité de glissement d'identité ne pouvait se dérouler sans violence, « Moi, Amandine Odilone, je m'empare de ta mémoire et de ton nom » et « Il n'y a plus ni toi ni moi, car nous sommes pour toujours ensemble dans le corps de Bella Ciao », puis, comme l'autre mentalement avait cessé de se débattre, elle se consacra avec plus de soin à la tâche en cours, qui consistait à feindre non la mort, mais l'immobilité, activité qui lui était familière et dont à la perfection elle possédait les secrets, car maintes fois au cours de ses séjours dans les ténèbres, les goudrons et les suies de l'espace noir il lui avait fallu recourir à la cryptobiose ou à des états comparables afin d'échapper aux poursuites des spadassins et chasseurs de primes que les familles, les clans et jusqu'à certaines officines gouvernementales ou religieuses engageaient pour la mettre à mal, tant il est vrai qu'elle se créait de solides inimitiés lors de ses passages dans les sphères réelles ou dans les royaumes surnaturels, et ensuite au sein de l'espace noir et de ses divers mondes bardiques, se tapissant dans les sous-sols de la mort pendant des périodes qui pouvaient atteindre des siècles tandis que les détectives et les tueurs erraient vainement à la surface et vieillissaient dans la rage de leur échec, s'aigrissant douloureusement à l'idée de leur vie inaboutie, de leur quête catastrophique, de leur fin horrible dans la poussière, or, dans cet atelier où elle restait languissamment nue et couchée au centre d'un demi-cercle d'élèves-peintres, se laisser examiner et s'abstenir de tout mouvement pendant quelques quarts d'heure ne lui demandait aucun effort, et, désireuse de ne pas perdre sa journée à rêvasser, et comme déjà en quelques secondes elle avait exploré jusqu'aux tréfonds les souvenirs de Bella Ciao, des nuits de prostitution et d'alcool… des amitiés trahies, des ruptures familiales… des clients dans des motels, les femelles se révélant idiotes, les mâles se révélant idiots et névrosés, toujours tentés par la brutalité en dépit des précautions qu'elle prenait pour éviter idiots, névrosés et brutes… quelques querelles avec coups, quelques rixes dont elle avait été témoin, l'une d'elles avait fini mal… un corps sanglant jeté dans une rivière… des études chaotiques, des amphithéâtres puant la séborrhée, les sous-vêtements fatigués, la pizza… les cours de biologie moléculaire, d'ichtyologie théorique… les cours d'écologie… les étudiants dragueurs… les enseignants dragueurs… des aventures avec les uns et les autres, toutes minables…, elle préféra s'intéresser aux regards de ceux et celles qui essayaient de traduire sa beauté en la langue des fusains et des mines de plomb, et, au-delà du trouble qu'elle provoquait en eux et qui les embuait, elle déchiffra sans peine la maladresse naturelle de tous ces jeunes gens, leurs misérables ambitions artistiques, leur lubricité refoulée et déjà leurs premiers grands ratages, qui annonçaient des existences destinées surtout à se perdre dans la petitesse et les vaines attentes, ce qu'elle lisait aussi sur les visages sans aura, dans la torsion des os, le débit de la salivation et des sueurs, les hésitations des mains qui se promenaient avec une fausse décontraction sur le papier, puis, ayant conclu de ses observations que son public ne représentait aucun danger ni intérêt, elle tourna son attention vers l'enseignant que jusque-là elle avait peu examiné, et soudain elle eut la très désagréable impression de l'avoir déjà vu quelque part, et, au même moment, l'homme abandonna la lecture de son journal et leva les yeux sur elle et il la scruta d'une façon qui mêlait l'impudence et l'impudeur, n'hésitant pas à fouiller alternativement les lèvres de sa bouche et les lèvres de sa vulve, puis il tenta de s'introduire à travers ses cils pour l'interroger sur sa disponibilité sexuelle et sur la qualité des prestations amoureuses qu'elle pouvait fournir, et, alors qu'elle s'étonnait de son manque de retenue, elle surprit derrière ses yeux très clairs l'information qu'elle redoutait, elle avait effectivement connu cet homme, certes bien loin de là et dans un contexte où il n'était pas maître de dessin, et d'abord, car si son intuition soudaine ne l'avait pas trompée cet homme était une créature qu'elle avait autrefois affrontée, et il valait mieux ne pas l'alarmer en révélant des pouvoirs surnaturels tels que l'agitation de mémoires enfouies depuis sept fois douze mille ans, elle s'assura que son propre esprit restait hermétiquement verrouillé, et, afin de ne pas troubler son possible adversaire, afin de le laisser dans la certitude qu'il dominait mentalement une pauvre femelle dénudée devant lui, un inoffensif modèle nu, certes d'une beauté nonpareille, mais sans dispositifs internes de nature sorcière ou inquiétante, elle abandonna en libre accès, juste derrière rétines et nerfs optiques par quoi le maître de dessin cheminait jusqu'à elles, les archives de l'existence de Wolnika Epstein dite Bella Ciao, et, effectivement, elle sentit que le maître de dessin allait y faire un tour, puis s'en retirait, blasé, n'ayant guère trouvé pitance dans les quelques scènes de chaudes embrassades, de copulations mercenaires et de sexe mercenaire qui y bouillonnaient, et, s'en étant assuré, elle revint sans crainte à ses lointains souvenirs, et elle les data, allant en arrière de sept fois douze mille ans et treize siècles, six fois douze lunes et quatre jours ou peu s'en fallait, elle en établit le contexte, au sortir d'une caverne paradisiaque où elle avait peu séjourné, guère plus que le temps de neuf générations, sortir qui s'était mal passé, car dès le débouché du passage étroit elle avait dû se battre contre une petite armée de bêtes extrêmement agressives qui se faisaient appeler « les Sept frères corbeaux » et qui, en réalité, n'avaient de corbeau que le nom et la couleur noire d'encre du plumage, car pour le reste elles étaient fort peu descriptibles, informes et molles, difficiles à terrasser même lorsqu'on avait recours aux terribles vociférations magiques dont les premières syllabes commençaient par « Brüüz, Goaph, Yaav, Gradj », vociférations dont la puissance est telle qu'elles ne peuvent être dites sans dommage pour les organes de phonation du vociférateur ou de la vocifératrice, et donc elle se rappela le monde de mâchefer tourbillonnant et de braises dans lequel l'affrontement avait eu lieu, puis sa marche, lorsque, une fois les Sept frères corbeaux mis en déroute, en bouillie noirâtre puis, conformément à la formule qu'elle avait employée, en soixante-dix-sept mille sept cent soixante-dix-sept fragments inertes, immuables et à jamais inréveillables, elle avait été obligée de chercher un abri sûr afin de soigner ses organes déchirés par les clameurs sorcières, ses syrinx profonds et ses tubercules glottiques dont l'inflammation la rendait muette, et s'était retrouvée sur une plage rocheuse que battaient eau et vent, mais où la pénombre avait quelque douceur, et, ce contexte ayant été établi, elle se repassa quelques séquences de ce moment de convalescence, elle revit l'arrivée sur la plage d'une créature à la disposition organique intérieure assez semblable à celle des frères corbeaux, c'est-à-dire gélatineuse, indifférenciée et ne connaissant ni nécrose ni apoptose, mais à l'apparence extérieure si harmonieuse et si plaisante qu'elle suscitait une sorte d'envoûtement immédiat et d'engourdissement sensuel de la vigilance, en même temps que des poussées irrépressibles de désir, et, non sans nostalgie, elle revit l'approche de cette créature aux attributs hermaphrodites mais à la beauté si grande qu'elle avait succombé aussitôt au plaisir de s'unir avec elle, certes de façon uniquement physique, car dès sa sortie mouvementée de la caverne paradisiaque qu'elle avait quittée elle avait renoué avec une prudence de tous les instants, qu'à dire vrai elle ne mettait en veilleuse que lors de ses séjours dans les cavernes paradisiaques, et elle savait que pendant les activités étourdissantes de la luxure un trop grand abandon intellectuel pouvait être fatal, ou en tout cas conduire à une perte d'autonomie qu'il serait désastreusement difficile de reconquérir, de façon uniquement physique et physiologique, quoique accompagnée de moult épanchements orgasmiques allant jusqu'à des formulations amoureuses et à du verbiage romantique qui paraissaient engager dans le même élan corps et esprit, et une seconde plus tard elle se revit compagnonner pendant plusieurs mois sur la plage avec cet être, se nourrissant d'amour et d'eau salée et bientôt guérie des blessures de sa gorge, puis elle se rappela plusieurs des déclarations qu'il lui avait faites, « Moi, Jean Ostalnoï, je vais follement en toi comme si tu étais à la fois une épouse et un mari », « Moi, Jean Ostalnoï, garde du corps des Sept frères corbeaux, j'ai failli à ma tâche, je suis arrivé trop tard sur le champ de bataille, j'ai à regret quitté mes employeurs mis à mal, j'ai erré sur tes traces et je t'ai retrouvée, et, plutôt que de chercher à venger tardivement les Sept frères corbeaux, j'ai succombé à tes charmes et sans délai je me suis roulé sur la plage en te perçant et te transperçant avec délice et en me laissant percer et transpercer par toi qui es magnifiquement puissante et admirable », « Moi, Jean Ostalnoï, je sais que tu caches en toi des secrets qui pourraient m'abattre si je n'étais prévenu contre toi », « Moi, Jean Ostalnoï, j'aime insensément la beauté de ton corps et la beauté des entrées de ton corps », « Moi, Jean Ostalnoï, je ne renonce pas à l'idée insane d'une fusion totale avec toi », et, comme elle lui rétorquait que se fondre à lui équivaudrait sans doute, pour elle ou pour lui, pour l'un des deux, à se perdre, « Moi, Jean Ostalnoï, je ne suis pas effrayé par l'idée de me dissoudre en toi et de mourir en toi », mais elle avait subodoré là un manque de sincérité et le début d'un plan de cannibalisme dont elle eût fait les frais, et elle se rappela aussi que ce débat entre eux, verbalisé sur un ton gracieux et marivaudien mais en réalité de plus en plus acide, avait fini par les opposer de manière radicale, lui insistant pour qu'elle se laissât envahir et elle se dérobant avec une constance qui dénotait qu'elle se méfiait de lui et qu'au fond elle le considérait plus comme un ennemi dangereux que comme un amoureux, les avait conduits à s'installer de part et d'autre de la plage sans plus copuler sous quelque forme que ce fût, et bientôt à se barricader chacun derrière une muraille de rochers en échangeant de violents silences et des invectives, puis, tandis que les vagues et les coups de vent battaient la côte dont rien jamais ne venait éclairer la pénombre, à se battre en ayant recours à des charmes et à des malédictions, et elle se rappela encore que, ne désirant pas de nouveau se massacrer le syrinx, le larynx et les sacs et tubercules phoniques afférents en hurlant les vocifératoires combinaisons magiques qui débutaient par « Brüüz, Goaph, Yaav, Gradj », elle s'était débarrassée de lui grâce à un subterfuge, faisant naître derrière Jean Ostalnoï un leurre suffisamment crédible et ressemblant pour qu'il s'attaquât à lui et y dispersât ses forces, puis lançant soudain sur lui un chien de flammes transparentes qu'il ne voyait pas et qui le mordait à tous les points sensibles qu'elle avait, au cours de leurs joutes amoureuses de naguère, repérés, et elle se rappela aussi les phrases dépitées qu'il avait beuglées en s'éloignant, « Moi, Jean Ostalnoï, je ne vois plus de toi qu'une chienne magique alliée à un chien de flammes, et j'apprécie tellement peu ta compagnie que je quitte cette plage empuantie par ton odeur de pourriture », et « Moi, Jean Ostalnoï, je me retire dans les ténèbres du temps et de l'espace, toutefois sans m'avouer vaincu », et « Moi, Jean Ostalnoï, je te laisserai tranquille pendant quelques millénaires et, s'il le faut, pendant quelques milliers de millénaires, et je ne perdrai pas mon énergie à aller sur tes traces, mais, quelle que puisse en être la date inconcevable, je te retrouverai et te combattrai jusqu'à ce que tu ne sois plus qu'une bouse de vache saignante », et encore « Moi, Jean Ostalnoï, je doterai cette bouse de souvenirs et de pensées afin que tu restes à jamais humide de regrets, de désarroi et de souffrance », et, comme à ce moment le maître de dessin tapait dans ses mains afin d'indiquer à ses élèves que la séance se terminait et qu'il fallait à présent ranger ses affaires et quitter la salle, elle mit fin à l'évocation de ses souvenirs et elle se redressa avec un naturel parfait et se couvrit avec les vêtements que Bella Ciao avait placés derrière l'estrade, principalement un débardeur blanc et une salopette en jeans, puis, non sans une nonchalance étudiée, elle rejoignit le cercle des jeunes gens qui l'avaient croquée et étaient en train de ranger leurs affaires, et, déambulant entre les pupitres, elle s'intéressa au résultat de leur travail, et, bien que sans marquer ni surprise ni déception, elle l'estima aussitôt haïssable, car les disciples du maître avaient tenté de la représenter sans tenir aucunement compte de sa beauté, l'enlaidissant au contraire de manière hallucinante, ajoutant à son torse des bras et même des pattes noires qu'elle ne possédait pas, exagérant l'ouverture de ses cuisses et l'obscénité de son vagin démesurément béant, posant à la place de sa tête des masques infâmes de criquet barbu, de bonze aux yeux insanes, de chercheur en sciences humaines, de coprin chevelu ricanant et autres monstruosités, tantôt prolongeant ses membres inférieurs par des filaments, tantôt les boursouflant comme s'il s'agissait de tubercules gonflés d'eau, et, quoique ayant décidé de ne pas trop tôt révéler sa nature thaumaturgique, elle fit par dépit quelques passes occultes pendant un ou deux millièmes de seconde, introduisant dans une des filles un foudroyant cancer des ovaires, dans une autre une dégénérescence osseuse inguérissable, dans une troisième une opacification quasi immédiate de la cornée, infligeant aux trois jeunes hommes une incontrôlable poussée de botulisme sur la verge et les testicules, puis, revenant au groupe des filles, elle infligea à la quatrième une schizophrénie galopante qui prendrait puissance dès le lendemain, puis, alors qu'elle avait laissé tout ce petit monde remettre les feuilles au maître de dessin et s'en aller, elle se tourna vers celui qui était, du fond des âges, Jean Ostalnoï, et elle s'aperçut qu'il la dévisageait avec un sourire satisfait, d'où la cruauté n'était pas absente, et elle s'adressa à lui d'une voix normale et lui demanda le dollar qu'elle avait gagné en posant dans son cours, et, comme il venait de prendre la parole pour lui dire « Ils ont vu à travers toi et ils ne t'ont pas loupée », elle feignit de ne pas comprendre et elle fit un geste vague en écarquillant les yeux d'un air interrogateur, mais il planta en elle son regard scrutateur et il dit « Tu ne les as pas loupés non plus » et « Prononce ton nom à présent, que les choses soient claires entre nous », puis il affecta un ton solennel pour déclarer « Moi, Jean Ostalnoï, après ces innombrables millénaires de séparation noirâtre et de vide, je croise de nouveau ta route », puis il répéta « Prononce ton nom à présent », et, bien que se voyant découverte, elle s'en tint à sa très nouvelle identité et affirma sans le moindre tremblement peureux du larynx « J'ignore de quoi vous parlez, Sir, je porte le nom qui figure sur ma fiche de paie, je m'appelle Wolnika Epstein, avec si vous préférez le sobriquet qu'on me donne parfois dans les bars, Bella Ciao, et je vous réclame encore une fois le dollar que vous me devez », ce qui provoqua un éclat de rire féroce chez son interlocuteur qui reprit « Dis plutôt, Bella Ciao, le nom que je prononçais autrefois à ton oreille, dans la pénombre des rochers noirs, près des vagues noires et sous le ciel noir, tandis que nous nous entrelacions voluptueusement sans imaginer de limite à nos ébats », et, alors qu'il commençait, sans doute pour l'étourdir, à évoquer de puissantes et démentes étreintes, à peindre l'absence de lune au-dessus d'eux et les rugissements de l'écume qui rebondissait sur leurs plumes, sur leurs écailles, sur leurs peaux cuirassées et sur leurs peaux imberbes, douces au toucher et magnifiques, elle se prépara à un assaut et recula sans rien rétorquer ni approuver, sans un mot, pour l'instant fort imperméable aux images que l'autre tentait de lui imposer par le verbe ainsi que par une pression mentale qu'elle sentait se répercuter sur ses défenses cérébrales et qui viciait l'air autour d'eux, transformant à grande vitesse l'atelier de dessin en un bocal chaud et étouffant, puis l'autre adopta une tactique et expliqua que le passé était trop lointain pour que l'on en réveillât les événements les plus fâcheux, et qu'à son avis le mieux était d'oublier leurs différends et de considérer que les menaces extrêmes et malédictions affreuses qu'ils avaient tous deux échangées n'avaient eu un caractère définitif que pendant les premières séries de sept mille millénaires, mais qu'au fil des éons elles avaient perdu toute vigueur « jusqu'à se ratatiner comme cloportes dans un bain de braises » et « jusqu'à n'être plus qu'un demi-soupir de libellule au sein d'un typhon », or elle se méfiait fortement de lui et persistait à demeurer sur ses gardes, et, bien qu'il eût ici émis un discours de bon sens, elle ne le crut pas et se ferma encore plus, et, de toute façon, elle n'exauça pas la prière qu'il lui avait faite de prononcer son nom d'autrefois, et elle rappela simplement qu'elle s'appelait Bella Ciao et qu'elle pensait équitable qu'il lui versât son salaire, puis, alors qu'elle s'était approchée pour recevoir la pièce d'un dollar qu'il avait tranquillement sortie de sa poche et qu'il en profitait pour lui molester comme par mégarde, comme mélancoliquement et par mégarde, les fesses et les seins, elle se dégagea de lui et, ayant refusé brutalement ses lèvres qu'il avait avancées avec une feinte tendresse pour un baiser, elle lui demanda quelles étaient ses réelles intentions, ce à quoi il répondit en lui proposant de venir vivre chez lui, où elle pourrait avoir toute liberté et où tous deux s'appliqueraient à organiser un voyage de retour vers la plage noire sur laquelle ils avaient vécu de si miraculeuses amours que sa nostalgie ne s'en était pas éteinte, et il poursuivit ainsi son discours, se disant soucieux de ne pas la brusquer mais certain qu'elle aussi, de son côté, nourrissait une semblable rêverie, une mélancolique rêverie, certes prenant racine dans des temps incalculablement éloignés mais peut-être toujours vivace, et, s'étant rendu compte qu'en effet elle n'était pas insensible à ce souvenir, il réussit à la persuader de l'accompagner jusqu'à la mansion où il avait établi ses quartiers, et, en guise d'introduction, il la présenta à ses trois épouses sur lesquelles jusque-là il n'avait pas dit un mot, les encourageant à accueillir la nouvelle venue comme une sœur, et, comme elle pressait ces trois femmes contre son sein en s'efforçant de paraître humble et sympathique, comme elle les attirait successivement sur elle, Noma, Allison, Iliana, trois princesses brunes et bien faites, mais de petite taille, elle devina leurs sentiments de grande aigreur et leur détestation rentrée, et, après les effusions d'usage, elle prétexta une légère fatigue et il la laissa choisir une chambre dans l'aile ouest du bâtiment, un peu écartée mais spacieuse et confortable, disant assez haut pour que les autres l'entendissent « Moi, Jean Ostalnoï, je veux être la porte qui ouvrira sur ton bonheur », et elle commença à vivre chez lui, mal acceptée par les princesses qui jusqu'à son arrivée avaient régné en harmonie, et qui maintenant avaient formé une forte alliance pour lui nuire et à tout moment se révélaient être de jalouses mégères, à tout moment ourdissaient contre elle des plans pour la mettre en difficulté devant Jean Ostalnoï, sans cesse médisaient et lui lançaient des piques, souvent lui reprochant sa beauté hallucinante et associant celle-ci à « de la putasserie » et à « des attitudes de catin », jour après jour l'ostracisaient, au point qu'après une semaine de cette permanente hostilité elle ne les voyait plus comme d'infortunées compagnes, mais plutôt comme un petit groupe de naines malveillantes, et, alors qu'elle avait décidé, tout compte fait, de quitter la mansion et de partir à la découverte du monde en laissant pour toujours derrière elle les turpitudes de Jean Ostalnoï, ses femmes et ses maîtresses, le maître de dessin frappa à la porte de sa chambre et lui annonça qu'elle n'aurait désormais plus à souffrir ni des vilenies de Noma, ni des méchancetés d'Allison, ni des accusations odieuses d'Iliana, et, comme elle l'interrogeait sur ce qu'il venait d'exposer, il lui affirma qu'il venait de se débarrasser d'elles de façon radicale, puis il déposa à ses pieds leurs trois têtes qu'il avait coupées ou arrachées et, afin de remplir le silence qui s'était fait entre eux deux, il raconta que les corps avaient été jetés dans des oubliettes qu'il avait creusées quelques années plus tôt, en prévision d'événements de ce genre, puis il lui assura qu'à partir de maintenant il se faisait fort de mettre un terme à ses tendances polygames et à la loger dans la mansion en tant qu'épouse principale et unique, et, bien qu'elle jugeât exagéré l'assassinat des trois princesses naines, elle se baissa, ramassa les têtes et les répartit sur des étagères de sa chambre, choisissant pour les caler des livres qui se trouvaient là et qu'elle n'avait pas lus, mais qui possédaient de belles reliures et une taille suffisante pour remplir leur office de support, les œuvres complètes en quatre tomes de Lutz Bassmann, des féeries féministes signées du pseudonyme collectif « Quarante-neuvième Bataillon féminin rouge », des românces post-exotiques de la dernière époque, mineurs, tels *In rhino veritas*, *Une bouse sonore*, *Ma cousine s'appelle Agamemnonne*,

*Déconfiture génitale* ou *Erreur de glamour*, puis elle demanda à Jean Ostalnoï de lui laisser la liberté d'aller et venir et de travailler comme elle l'avait toujours fait jusqu'à présent, ce qu'il lui accorda sans barguigner, et, ce premier soir, alors qu'elle allait se prostituer vaillamment dans un dancing du centre, il l'accompagna et attendit dans la rue sans la déranger, puis, quand elle sortit avec un client, il la suivit jusqu'au motel et fit le guet sur le parking, déambulant comme une ombre entre les automobiles plus ou moins clinquantes, plus ou moins bien entretenues et lavées, parfois s'énervant sans raison et crevant çà et là un pneumatique, rayant une portière avec un canif ou vomissant sur une calandre, et, après le départ du client, il se glissa derrière un tronc d'arbre et patienta jusqu'au matin, puis, quand enfin elle réapparut, nimbée de la lumière du soleil qui se levait, il alla à sa rencontre et il dit « Moi, Jean Ostalnoï, je t'ai laissée aller et venir et travailler comme tu l'avais toujours fait jusqu'à présent, mais je veux aussi que tu mènes une existence digne des souvenirs d'amour de nos existences d'antan, et c'est pourquoi je vais avec toi d'abord retourner dans notre castelet, puis chamaniser afin que se reconstitue la plage où nous avons été ensemble heureux et merveilleusement fous et heureux », et, bien que ne se laissant pas abuser par son verbiage, elle accepta, peut-être par curiosité et, en tout cas, par esprit d'aventure, de prendre le chemin de la mansion, puis, lorsqu'ils furent enfin de nouveau chez eux, de s'ouvrir à lui sexuellement afin qu'il déverse en elle ses sucs, puis, quelques copulations plus tard, de se livrer avec lui à des manœuvres magiques, à des cérémonies cosmiques charpentées de chants diphoniques puis, lorsque leurs syrinx et saqueboutes glottiques à tous deux furent échauffés, polyphoniques, de sorte qu'au bout de trois semaines tout au plus, qu'ils avaient passées sans fermer l'œil une seconde et sans cesser un seul instant de chamaniser, indifférents aux pétitions des gens du voisinage qui les accusaient de tapage, peu troublés non plus par les incursions des détectives qui enquêtaient sur la disparition de feu les princesses acariâtres et décapitées, et qu'il fallait orienter vers des pistes compliquées et truffées d'énigmes et de pièges au cœur desquels ils se retrouvaient désarmés, nus et bientôt sans même la ressource de faire appel à des collègues, puis morts, car Bella Ciao tout autant que Jean Ostalnoï n'éprouvaient aucune sympathie pour les polices et s'alliaient pour mettre impunément et discrètement à mal tout représentant de la loi, ils avaient commencé à tracer les premiers chemins noirs qui devaient les conduire tous deux jusqu'à l'inconcevable passé, et bientôt Bella Ciao distingua au loin quelques acres de rochers obscurs et quelques vagues luisantes comme du fuel, qui se brisaient dessus avec des gerbes d'écume goudronneuse, et, comme l'espace devant elle se précisait, ténébreux et salé, fermé à son zénith par un firmament d'une noirceur totale, elle pria Jean Ostalnoï de la laisser pendant un temps errer seule sur ce lieu qu'ils avaient habité sept fois douze mille ans et treize siècles plus tôt, prétendant qu'elle avait besoin de reconstituer une part au moins de ses esprits après un tel plongeon en arrière dans le temps, ce qu'il jugea raisonnable, mais en réalité dès qu'elle se retrouva sans lui, au bord des eaux agitées de la mer obscure, elle dressa le bilan de la situation et la résuma, elle avait été pendant des semaines au contact du mauvais protecteur des Sept frères corbeaux… elle s'était livrée à lui comme elle l'avait fait autrefois sur cette plage battue par des vents huileux, des houles écumantes, bombardée à chaque minute par la lente noirceur du ciel, par l'épouvantable rayonnement du rien… et, bien qu'étant restée en permanence sur ses gardes, et, même au plus fort du tohu-bohu vertigineux de leurs communes prières cabalistiques, même au cœur tourbillonnaire de leurs joutes amoureuses dont la violence et l'exaspération dépassaient la mesure et les projetaient, enlacés, dans des gouffres dépourvus de temporalité, de substance et d'intelligence, bien qu'ayant conservé une vive conscience du danger qu'il représentait, elle n'avait pas évité le risque mortel qui grondait à proximité de lui… elle s'était obstinée à croire ou à feindre de croire que le serment qu'il avait braillé autrefois sur la plage, ce jurement effroyable de vengeance, avait véritablement été frappé d'obsolescence… alors que leurs retrouvailles, quelque marquées par le hasard qu'elles pussent paraître, au fond étaient suspectes et trop miraculeuses pour n'avoir obéi qu'à d'improbables probabilités, et suivaient peut-être un cours tortueux qu'il avait conçu pour l'amadouer, l'amollir, mettre ses défenses en défaut et un jour, ou une nuit, l'assaillir… dessein que sans nul doute confirmait cette obsession qu'il avait eue de les faire revenir tous deux sur les lieux et les temps où ils s'étaient connus, où ils avaient fantastiquement folâtré et où il avait fini par prononcer son odieuse promesse dont à présent, face aux vagues asphalteuses et au rugissement naphteux du ressac, elle se rappelait avec dégoût l'intégralité, « Moi, Jean Ostalnoï, je ne vois plus de toi qu'une chienne magique alliée à un chien de flammes, et j'apprécie tellement peu ta compagnie que je quitte cette plage empuantie par ton odeur de pourriture », et « Moi, Jean Ostalnoï, je me retire dans les ténèbres du temps et de l'espace, toutefois sans m'avouer vaincu », et « Moi, Jean Ostalnoï, je te laisserai tranquille pendant quelques millénaires et, s'il le faut, pendant quelques milliers de millénaires, et je ne perdrai pas mon énergie à aller sur tes traces, mais, quelle que puisse en être la date inconcevable, je te retrouverai et te combattrai jusqu'à ce que tu ne sois plus qu'une bouse de vache saignante », et encore « Moi, Jean Ostalnoï, je doterai cette bouse de souvenirs et de pensées afin que tu restes à jamais humide de regrets, de désarroi et de souffrance »… et donc, tandis que grandissait sa méfiance envers les intentions de Jean Ostalnoï, elle se mit à arpenter la rive rocheuse, à en repérer les crevasses et les chaos, à réfléchir aux endroits les mieux adaptés pour y glisser des charmes secrets, des talismans et des outres de poison, puis elle s'étira comme elle savait le faire sur plusieurs centaines de mètres, posant sur chaque pierre et même sur chaque granule noirâtre sa marque afin que le paysage lui appartînt en entier, puis elle se contracta et reprit sa forme, doucement chuchotant en direction de la mer illimitée, du ciel sans étoiles « Moi, Bella Ciao, saine de corps et d'esprit, je vous confie mon existence illimitée, ma vie sans étoiles » et « Quoi que désormais il advienne sur cette rive noire, je vous conjure de m'aider à ne pas devenir une bouse de vache saignante », puis elle attendit l'arrivée de Jean Ostalnoï, qui, au moment où il l'avait étreinte avant sa plongée en espace noir, avait murmuré qu'il la suivrait, mais sans préciser date ni délai, car il devait, disait-il, avant de la rejoindre, sceller par de formidables sortilèges les entrées de la route secrète qui menait à la plage, et, pour ce faire, détruire derrière lui toute trace de leur passage, incendier tous les motels, toutes les écoles, toutes les rues et avenues des cités où l'un comme l'autre avaient posé le pied et, bien entendu, trucider avec soin tous les témoins mâles et femelles de leur existence, ce qui exigeait de la minutie, une connaissance exhaustive de l'histoire privée contemporaine et une considérable dépense d'énergie, et certes un assez long laps, elle l'attendit, cette arrivée, un jour et une nuit, pour commencer, puis elle se fit à l'idée que là-bas les choses prenaient du temps, et que le scellement des entrées n'était peut-être pas, en dépit des immenses pouvoirs de Jean Ostalnoï, une entreprise facile, ce pourquoi elle attendit encore un jour et une nuit, puis une demi-lune, puis une grappe de semestres, puis plusieurs décennies, il est vrai sans impatience, car elle se délectait en permanence de l'extrême beauté du paysage, dont l'austérité pénombrale lui convenait, et entretenait avec la mer de vigoureux dialogues, répondant aux écroulements rythmés des vagues par des fragments de cantopéras, des antiennes à neuf voix, des graduels surréalistes, des barcarolles sorcières et des chants de marins, mais toujours elle maintenait en elle une vibration de vigilance, et, quand enfin Jean Ostalnoï arriva, elle l'accueillit, certes, par des paroles de bienvenue et, sentant une onde de sensualité monter en elle, elle lui proposa de s'installer avec lui sur une couche de basalte d'où ils pourraient dominer les flux et les reflux et jouir sexuellement l'un contre l'autre sans être importunés par les jaillissements d'écume, certes elle se rendit aussitôt charmante et disponible à ses assauts, mais elle restait blindée contre toute attaque physique, mentale ou magique, et elle lui dit « Moi, Bella Ciao, je t'ai attendue sur cette plage noire sans une seconde remettre en cause ta parole de t'y matérialiser à ton tour, et pendant toutes ces décennies, sans me morfondre, je me suis tellement bien entendue avec cette extrémité noire de l'univers que j'ai peu à peu compris que j'étais partie intégrante du paysage, aussi fermement soudée à l'image que pouvaient l'être les eaux mouvantes et les roches, et il est indéniable que, pendant un temps, tu n'auras pas ici le même statut que moi et, peut-être, que le vent et le ciel mettront plusieurs lunes ou plusieurs cycles lunaires avant de ne plus te considérer en intrus », et, s'il ne s'offusqua pas, tenant compte du bien-fondé de sa déclaration, il eut conscience qu'entre eux quelque chose s'était déconstruit, et il le lui fit remarquer et s'engagea à tout faire pour que leurs si belles amours refleurissent et s'éternisent, et, joignant le geste à la parole, il la caressa jusqu'à l'extase, puis, durant quelques semaines, ils se livrèrent à de fantastiques galipettes, ne mettant fin aux orgasmes que lorsque la mer asphalteuse les recouvrait et les obligeait à cesser de s'interpénétrer et de s'internouer, et, quand il eut ainsi amolli ses défenses, il la serra sur lui encore toute pantelante et dit « Néanmoins, comme ici nous reprenons tout à zéro, j'aimerais t'entendre prononcer le nom que tu portais ici quand nous nous sommes rencontrés la première fois », demande qui immédiatement l'alerta, car elle savait que dévoiler son nom d'autrefois en lui faisant face équivalait à se placer en situation d'infériorité, comme elle avait failli l'être sept fois douze mille ans et treize siècles plus tôt, et cette prière qu'il lui répétait à l'oreille sur un ton presque suppliant d'amant… d'amant ivre de volupté et de tendresse… d'amant comme soumis à son bon vouloir… sonnait, sous son apparente douceur nostalgique, comme une impérieuse exigence, et refusant une fois de plus de satisfaire à sa requête, elle prétendit que sa mémoire sur la question était brouillée et que, dans la très longue liste de ses existences antérieures et de ses métempsychoses, certains noms s'étaient tassés l'un en l'autre et confondus, au point que certaines appellations comportaient à présent plusieurs dizaines de syllabes et étaient peu fiables, et il eut un mouvement de dépit sans cependant insister ni faire de commentaire, suite à quoi ils restèrent tous deux sur le rivage comme saisis d'une bouderie et d'un mutisme hostile, et, tandis que les jours passaient sans que l'un ou l'autre reprît la parole ni engageât vers l'autre le moindre geste de réconciliation, ils se livrèrent à une contemplation commune du paysage grandiose, recevant avec bonheur et comme en dehors de tout souci mortel, comme en un rêve tranquille et sans fin, les coups de vent noir et les embruns noirs, écoutant la basse continue de la houle noire, les avancées puissantes et les reculs tumultueux des vagues noires, sentant au-dessus de leurs têtes peser la voûte formidablement bitumineuse qui faisait sur le monde office de ciel, refusant toute idée de sommeil afin de ne pas gaspiller dans des visions oniriques leurs facultés d'admiration, et d'ailleurs non seulement ni lui ni elle n'avaient l'habitude de dormir, mais de plus chacun se rendait compte que l'assoupissement pouvait favoriser une attaque de l'autre et une perte de contrôle de soi qui, dans une bataille, risquait d'être fâcheuse et difficilement rattrapable, car à présent le silence qui avait suivi la proposition de Jean Ostalnoï et son refus par Bella Ciao devenait aigre, l'idée d'une bataille rôdait, ils se plaçaient dans une relation qu'ils avaient connue déjà sept fois douze mille ans et treize siècles plus tôt, lorsque leur alliance s'était fissurée puis fracturée après une somptueuse, une volcanique période d'union érotique, et ainsi ils s'enhargnèrent l'un contre l'autre sans prononcer une parole, et, tandis que Jean Ostalnoï faisait resurgir de ses lointains territoires mémoriels à la fois sa honte de ne pas avoir sauvé les Sept frères corbeaux quand ils s'affrontaient désespérément à celle dont il voulait aujourd'hui entendre prononcer le nom afin que les syllabes barbares qui le composaient lui empoissassent la bouche et lui ralentissent l'accès aux malédictions foudroyantes qu'elle connaissait, et qu'il pût profiter de cette provisoire faiblesse pour abattre sur elle toute la puissance de ses propres clameurs sorcières, et les racines de la vilaine colère qui l'avait saisi lorsque, à la fin de leur idylle déchaînée, il avait dû admettre qu'elle avait toute chance de le vaincre et se retirer et disparaître en émettant à son encontre une fatwa terrible, mais que des dizaines de milliers d'années avaient condamnée à n'être que vaine palabre, tandis qu'il ruminait ainsi et s'assombrissait, Bella Ciao de son côté étudiait la trajectoire qu'elle emprunterait dès le premier millième de seconde de l'attaque qu'elle jugeait non seulement probable, mais probablement imminente, elle revoyait avec une précision phénoménale tous les rochers sous lesquels elle avait disposé des pièges, à tout hasard, avant la venue de Jean Ostalnoï, et, quand le silence entre eux eut atteint une masse critique, elle prit la parole et dit « Jean Ostalnoï, nous voilà retournés à zéro, comme si nous n'avions pas parcouru une théorie immense de siècles et comme si le temps n'avait pas eu de descendance, mais il ne serait pas sain de nous cacher la vérité », et « Jean Ostalnoï, nous avons reculé de sept fois douze mille ans et treize siècles jusqu'à atteindre le zéro qui avait accouché de notre merveilleuse histoire d'amour », et « Notre merveilleuse histoire d'amour n'a guère été ravivée, en revanche tout ce qui avait mûri de mauvais entre nous a repris de la vigueur », et, « Jean Ostalnoï, même sans m'aventurer loin dans ton esprit je sais que tu n'as pas renoncé à l'image finale que tu avais conservée de moi quand tu m'as maudite, je sais que tu me vois encore et toujours comme une chienne magique alliée au chien de flammes que tu penses être », et « Jean Ostalnoï, je ne veux pas que tu me transformes en une bouse de vache saignante, et si tu ne te sauves pas à l'instant, si tu ne disparais pas aussitôt et à jamais, je me battrai contre toi et je te vaincrai », puis, alors qu'il enflait puissamment, se couvrait d'écailles imperçables et se préparait à rétorquer, elle siffla pour le paralyser et l'aveugler, le temps pour elle de bondir hors de son atteinte et de s'immerger au large sans qu'il pût assister à sa plongée, et, lorsqu'il se frotta les yeux, il ne la vit nulle part et projeta dans les alentours quelques centaines de balises magiques pour déterminer sa position, mais celles-ci ne répondirent pas à son attente et ne lui signalèrent aucune présence sur la plage, et, se disposant en ordre de bataille, il se mit à aller et venir sur le rivage et beugla des sortilèges dont les premières syllabes avaient quelque chose à voir avec « Dröm, Chaÿm, Bört », mais seul le ciel noir les reçut, et, après un moment, disons deux ou trois années lunaires, il répéta ces vociférations, les agrémentant de mauvaise haleine très-noire et de gestes de thaumaturge, car il était persuadé que Bella Ciao se tenait à proximité, sous une forme ou sous une autre, et pouvait être blessée par un de ses cris, et finirait par réagir, quelque infime que pût être la douleur causée, finirait par se manifester et par réagir, et cette certitude en lui était si solidement ancrée qu'il ne cessait, alors que le temps s'écoulait, de brailler à contre-vent des insanités démoniaques, à contre-vent ou dans le vent, pendant d'interminables heures noires, déambulant comme un chien en cage le long du rivage, buvant dans les flaques noires pour se donner courage et énergie noire, recevant sur ses bouches hurlantes les embruns noirs, pataugeant parmi les vagues les plus proches de la bordure des rochers noirs, espérant toujours un écho, tendant l'oreille vers l'horizon tranquille, vers le ciel immense, déçu jour après jour, ne comprenant pas quel était le plan de Bella Ciao, selon quelle tactique elle le menaçait, refusant de croire qu'elle s'était dissoute dans une sphère inconnue et qu'ainsi elle avait délaissé lâchement le champ où la guerre avait lieu, et, tandis qu'il allait et venait de rocher en rocher, parfois démontant des pièges qu'elle avait laissés en prévision de leur affrontement et qu'il jugeait puérils et inopérants, la mer l'empoisonnait lentement, d'une façon si subtile qu'il n'en ressentait pas les effets, du moins jusqu'au moment où, ses membres ne le portant plus, ou plus guère, il dut s'adosser à un morceau de falaise en haletant non plus des formules effroyables mais seulement du souffle de fatigue et une brume de sang, moment que choisit Bella Ciao pour brusquement émerger d'un rouleau écumant et le piquer violemment au bas-ventre et à la gorge, puis, dans le même mouvement rapidissime, l'entrouvrir en écharpe et lui retirer plusieurs organes hépatiques de première importance, ainsi que des mécanismes de phonation porteurs de venins, et, tandis qu'il reculait à l'intérieur de la pierre dans une virevolte réflexe, à vrai dire sans s'être bien aperçu des dommages que Bella Ciao lui avait infligés, car l'attaque n'avait duré que le temps qu'il faut à la lumière pour traverser une gouttelette d'eau claire, Bella Ciao alla se refondre dans la mer rugissante, dans la mer noire, dans la mer accueillante et complice, et, s'étant dégagé de sa cuirasse de pierre, il revint se placer debout sur la plage et il essaya de hurler des hymnes destinés à tordre l'adversité en sa faveur, mais, à l'endroit où il se trouvait, les vagues sans cesse roulaient vers lui jusqu'à la ceinture et il devait perdre de précieuses secondes pour rétablir son équilibre ou écoper l'eau qui s'introduisait traîtreusement dans ses blessures et lui donnait l'impression, non qu'elle l'apaisait, mais au contraire qu'elle cherchait à accélérer parmi les chairs meurtries des processus de putréfaction et d'obsolescence, et, alors qu'il tentait de tirer malgré tout ces hymnes hors de ses antres pulmonaires, il n'y parvint pas, ou d'une manière si peu glorieuse qu'il s'en sentit accablé et penaud et décida de s'enfermer à l'intérieur de la roche jusqu'à ce que ses plaies cicatrisassent, ce qu'il fit sur-le-champ, se jugeant à l'abri de toute malveillance durant les prochaines lunes, or, depuis le large où elle n'avait aucune forme, se confondant avec la houle océane, Bella Ciao poussa son avantage et s'écroula en tempête sur le rivage, et bientôt celui-ci fut recouvert d'un enduit sirupeux et toxique qui condamnait toute sortie depuis des cachettes et des grottes, puis elle développa, non sans l'aide des éléments les plus noirs du paysage et, évidemment, en harmonie avec la mer qu'elle avait su gagner à sa cause, une double clôture du lieu, le métamorphosant en isolat cerclé de goudrons magiques, et, sans se donner la peine de savoir dans quel état, au cœur de l'isolat, se trouvait Jean Ostalnoï, elle soumit les rochers alentour à une pression qui s'apparentait à celle qui avait régné au centre du magma peu de temps avant le Big-Bang, et à une température dite « conflictuelle », qui zigzaguait, avec des bonds chaotiques, du zéro absolu aux millions de degrés de la soupe primordiale, et vice versa, puis elle dansa pendant un certain temps sous le ciel noir et le vent noir, obéissant aux instructions de la mer qui lui avait conseillé de compter neuf cent quatre-vingt-dix-neuf mille neuf cent quatre-vingt-dix-neuf écroulements de vagues avant de quitter les lieux, puis, sa danse terminée, les neuf cent quatre-vingt-dix-neuf mille neuf cent quatre-vingt-dix-neuf battements de vagues s'étant égrenés, elle commença à s'éloigner de la plage et à marcher sur la terre qui la bordait, prenant vers le nord-ouest, et d'abord elle s'arrêta pour lancer une dernière conjuration, « Jean Ostalnoï, je sais que tu ne peux plus m'entendre, car tu es vitrifié et éternellement inexistant désormais au cœur d'une roche noire que martèlent jour et nuit des ondes noires, mais je veux que tu saches que ni toi ni nulle autre entité jamais ne me transformerez en une bouse sanglante, et par ces paroles je scelle une nouvelle fois ton éternité dans l'inexistence noire », et, comme le ciel devant elle s'assombrissait encore, elle se hâta vers l'horizon, sans plus jeter de regard vers la région qu'elle abandonnait, vers les débris d'obscures montagnes, les vents obscurs et les obscures étendues marines où elle avait connu le bonheur, la lubricité et la haine, et, après avoir parcouru en ligne droite une bonne centaine de verstes, elle se demanda si ce chemin qu'elle avait accompli jusqu'à la plage, si ce chemin qui l'avait ramenée au zéro de ses relations avec Jean Ostalnoï, l'avait entraînée de façon définitive des milliers de siècles en arrière, si elle allait de nouveau devoir parcourir ce qu'elle avait déjà parcouru au cours de ses existences antérieures, ou si elle avait seulement glissé le long d'une boucle temporelle qui allait rapidement la ramener au point qu'elle avait quitté, disons dans la mansion où Jean Ostalnoï habitait avec ses épouses, caché sous une identité modeste de maître de dessin, et, tout en méditant sur ce sujet, elle vit venir à sa rencontre un bruyant cortège, tout d'abord à peine perceptible dans les lointains, à peine remarquable tant du point de vue sonore que visuel, puis de plus en plus net et criard, et, comme ce cortège se rapprochait, elle vit qu'il s'agissait d'une manifestation syndicale précédée d'une banderole qui proclamait la nécessité de mesures révolutionnaires immédiates et radicales, et c'était en effet un groupe anarchiste accompagné de ses sympathisants, qui se comptaient par centaines, et bientôt elle fut à même de distinguer leur aspect, leur physionomie et leurs habits, et, ayant constaté que les uns et les autres appartenaient à une espèce mi-humaine mi-animale, dont les traits lui paraissaient malaimables et grossiers, elle décida, avant d'entrer en contact avec eux, et peut-être de s'intégrer à leur défilé, de se couvrir de suie et de s'enlaidir au moyen de quelques passes sorcières, et, s'estimant assez vilainement salie et déformée, elle s'avança vers eux, ce qui provoqua un certain émoi au sein du groupe de tête, qui en dépit des sortilèges qu'elle avait rapidement déclenchés pour s'envilenir voyait en elle surtout et avant tout une figure princière et nue, d'une beauté provocante, et conduisit à l'immobilisation du cortège à une trentaine de mètres de Bella Ciao, comme si celle-ci était déterminée à lui barrer la route, puis à un regain de slogans qui reprenaient vraisemblablement une partie du programme des leaders et parmi lesquels elle discerna « Dresser des guillotines à tous les carrefours », « Ne pas écouter les conseils de modération », « Ne pas définir le but puisqu'il sera impossible à atteindre ou trahi », « Apprendre la servilité aux patrons », « Apprendre aux leaders ce que signifie obéir aux masses », « Fusiller de temps en temps un leader pour l'exemple », « Désobéir aux lois injustes même si elles ont été promulguées par nous », et, tandis que la foule avait les yeux fixés sur elle, elle demanda si elle pouvait adhérer à leur mouvement et, en premier lieu, si quelques-unes de leurs femelles pouvaient avoir l'obligeance de lui fournir de quoi draper sa nudité, car, ajouta-t-elle, « celle qui se tient sur votre route est l'exemple même de celle qui n'a rien », et, comme la foule hésitait, aveuglée par la beauté et l'assurance qui, malgré tout, malgré les traînées de suie et les scrofules qu'elle s'était infligées, les répartissant sur son corps il est vrai avec un souci d'élégance qui soulignait sa perfection physique plus qu'elle ne la contrariait, semblait la rejeter dans un monde aristocratique que le sentiment général exécrait, elle dit, en articulant les syllabes comme elle savait le faire pour convaincre, car elle ponctuait sa phrase de quelques discrètes virevoltes mentales destinées à engourdir le jugement adverse, « Moi, Bella Ciao, j'ai hâte de me fondre à vous pour participer à votre impétueuse révolution » et « Moi, Bella Ciao, qui n'ai même pas le luxe de chaînes à perdre dans la bataille, j'éprouve à l'écoute de votre programme une totale sympathie » et « Moi, Bella Ciao, une fois habillée comme vous, je serai comme vous et marcherai jusqu'au bout avec vous », suite à quoi plusieurs femmes de statures diverses, certaines musclées comme des lutteuses, d'autres à la constitution maigrichonne, mais, au fond, toutes assez jolies à regarder si on adoptait le point de vue de leur espèce qui était, on l'a dit, mi-humaine mi-animale, et qu'un docte en zoologie, un certain Pavel Bielouguine le Vieux, avait recensée dans un de ses manuels de xénomammologie sous l'appellation discutable de *Doudnouss*, sans d'ailleurs la décrire autrement que par ouï-dire et brièvement, sous le prétexte qu'on ne la rencontrait que dans d'inaccessibles régions de l'espace noir, se détachèrent de la masse qui continuait à vociférer en chœur et l'entourèrent, qui lui offrant un châle en lambeaux, qui l'enveloppant d'une toile de sac, qui lui serrant la taille au moyen d'une tresse de lacets en peau de poisson, qui se délestant d'un sous-vêtement pour le lui poser sur les épaules, de sorte que bien vite sa beauté se trouva dissimulée sous des oripeaux ignobles, et, alors qu'elle pensait avoir résolu une partie de ses problèmes d'insertion, elle entendit un leader crier en sa direction et en direction de ses habilleuses « Qui nous dit que cette Bella Ciao n'est pas un piège que nous tend l'ennemi de classe ? », ce qui d'une part alluma une rumeur au sein de la foule et d'autre part incita une des Doudnousses qui l'entouraient à maugréer près de son oreille « Ne t'inquiète pas, Bella Ciao, ce leader ne durera pas, il va être fusillé à la prochaine étape », et, après une petite heure de palabres et de tergiversations, il fut décidé que Bella Ciao serait admise en queue de cortège, mais qu'avant de pouvoir librement aller et venir au sein du groupe elle devrait suivre un stage de rééducation au cours duquel on lui instillerait les notions de base du mouvement et, bien évidemment, on lui ferait ânonner les cent onze points du manifeste qui servait de référence au groupe et de guide pour l'action, les ânonner jusqu'à ce qu'elle les possédât sur le bout des doigts et pût, non seulement les réciter, mais les intégrer à ses raisonnements et les appliquer spontanément si la situation se présentait à elle, conditions qu'elle accepta avec des démonstrations de docilité qui plurent à la foule mais que le leader jugea suspectes, sans cependant s'exprimer sur le sujet car, se sachant fusillable à la prochaine étape, il avait conscience que sa popularité était en baisse et que ses avis déjà ne comptaient plus, et que paraître s'acharner sur une errante qui n'avait même pas ses chaînes prolétariennes à perdre risquait de hâter le moment où il serait plaqué contre un mur et troué de balles, et, tandis que la manifestation se remettait en marche, Bella Ciao se vit encerclée de forts gaillards qui, tout en la surveillant de près, l'obligeaient à répéter après eux les instructions de leur manifeste, telles que « Ne prononcer le mot *totalitaire* que dans le cadre d'anecdotes humoristiques », « Ne faire de prisonniers que si les prisons sont vides », « Respecter les temps d'incubation pour la grippe », « Ne gravir les côtes que dans le sens de la descente », ou encore « Ne laver les pieds des pauvres qu'en cas de nécessité absolue », « Utiliser les sacs à vomi mis à notre disposition par les organismes assermentés », « Transmettre aux enfants le b.a.-ba de la lutte », « N'arrondir les angles que dans le but de ne pas se blesser », ou encore « Se méfier des explications des chefs », et, quand elle répétait mal ou sans conviction, la malmenaient quelque peu, quoique avec mesure, car bien qu'elle fût déguisée en crasseuse ils sentaient qu'elle n'avait pas un physique de Doudnousse et que se tapissait en elle une force mystérieuse, et d'autre part ils étaient excités par sa féminité et profitaient de ces ébauches de bousculade pour lui tâter les chairs, ce que sans aucunement les encourager elle leur pardonnait, se contentant de noter leurs noms afin plus tard à la fois de briser son pardon et de leur saccager les organes reproducteurs et quelques os, puis la journée s'acheva et, comme la manifestation venait d'entrer dans la périphérie d'une ville et, loin de se disperser, se renforçait de l'apport de travailleurs et de travailleuses qui habitaient dans les faubourgs, une réunion fut organisée au cours de laquelle deux leaders furent destitués et promptement emmenés à l'écart pour y être anéantis au plomb, et nombre d'idées fondamentales émises par des tribuns puis reprises par l'assemblée, dont quelques-unes que Bella Ciao connaissait déjà par cœur et qu'elle ne se priva pas de brailler en compagnie de ses rééducateurs, telles que « Ne procéder à la castration des violeurs que sur ordre du Bataillon féminin rouge », « Éduquer les suicidaires par l'exemple » et « Ne pas utiliser les matières fécales à tort et à travers », or, au moment où elle se préparait à hurlailler « Après un premier nettoyage total, entamer un second nettoyage radical », un homme monta en courant sur l'estrade, se saisit du porte-voix que tenait le nouveau leader et déclara qu'au centre-ville les Sept mésanges mineures s'étaient emparées du commissariat et y avaient proclamé le rétablissement de l'exploitation de l'homme par l'homme ainsi que la dissolution des organisations prônant l'égalitarisme, et, aussitôt, un rugissement général monta vers le ciel, issu de milliers d'entrailles, le rugissement, nuageux, le ciel, et Bella Ciao fut emportée avec ses rééducateurs, qui de nouveau, sous prétexte de cohue indescriptible, se frottaient contre elle et la palpaient comme par mégarde, écrasant même subrepticement contre ses hanches leurs gonades, leurs parties et leurs protubérances que les guenilles couvraient à peine, et émettant soudain des vapeurs sexuelles et des phéromones dont elle s'efforçait de supporter la puanteur, et ainsi bousculée et triturée elle descendit à vive allure plusieurs rues et avenues qui aboutirent à une place du centre-ville où, en premier lieu, les mésanges mineures accueillirent les émeutiers par un feu nourri qui en coucha plus d'un dans son sang et, loin de les refroidir, les enragea derechef, et, tandis que des carabines étaient distribuées, prises dans un arsenal clandestin caché très près de l'endroit où s'étaient barricadées les mésanges mineures mais dont celles-ci n'avaient pas eu connaissance, et que les leaders donnaient des ordres, la foule se mit à l'abri des bâtiments voisins et se lança dans une compétition de braillements, feulant tantôt « Abolir les différences entre individu et collectif », tantôt « Ne pas s'exposer inutilement en cas d'échange de coups de feu », tantôt « Exiger des anciens maîtres des confessions écrites », tantôt « Partager le désastre entre tous les hommes de bonne volonté », tantôt « Rétrograder les oncologues au rang de vétérinaires », ce qui lui donnait, à la foule, un regain de courage, et à elle, Bella Ciao, envie de rire, d'autant plus que deux de ses accompagnateurs avaient reçu du plomb dans le ventre et que sur elle la pression idéologique, sexuelle et rééducatrice était devenue moins violente, de rire sous cape, bien entendu, car il était hors de question de se singulariser par des attitudes autres que celles qui convenaient à des guerriers et des guerrières fortement impliqués dans un combat mortel, et, juste au moment où elle retenait sur ses lèvres admirables une ébauche de sourire qui eût pu la dénoncer comme sentimentalement et politiquement extérieure au groupe, et sans doute, compte tenu des habitudes de ces gens, qui eût incité ses rééducateurs à renoncer à leur tâche pédagogique et à procéder à son exécution sans jugement, elle se mit à examiner les visages autour d'elle, ces physionomies que l'exaltation éclairait, et où des généticiens eussent pu relever des origines marécageuses ou extraterrestres, et soudain elle se rappela plusieurs récits de Howard Phillips Lovecraft qui l'avaient enchantée alors qu'elle était étudiante en biologie sous-marine, alors qu'elle traversait une existence humble de jeune femme sous le nom de Wolnika Epstein, alors que de temps en temps pour survivre elle devait vendre son corps, sous le nom de Bella Ciao, à de riches drogués, à des adultes mieux favorisés qu'elle, économiquement parlant, ou poser nue en échange de maigres primes, et, tout en comparant les traits de ses voisins immédiats au souvenir qu'elle avait des créatures mises en scène dans *Le Cauchemar d'Innsmouth*, elle sentit fleurir en elle des revendications de classe, une volonté de revanche sur ceux qui jouissaient, sans ou avec vergogne peu importe, de privilèges sociaux, la simple et normale tentation d'une vengeance illimitée sur les riches et les possédants, et, comme les Sept mésanges mineures, qui à l'autre extrémité de la place avaient déclaré rétablir le capitalisme et l'exploitation de l'homme par l'homme et tiraient sans discontinuer sur les Doudnousses qui les assiégeaient, symbolisaient l'ennemi à abattre, elle se mit à reprendre les slogans qui roulaient autour d'elle comme du tonnerre, puis, se débarrassant de ses oripeaux, car ceux-ci la gênaient pour déployer ses charmes et ses voltes magiques, elle partit vers le centre de la place et, insensible aux projectiles qui volaient en sa direction, elle s'adressa aux assiégées, « Moi, Bella Ciao, je vais à vous afin de vous défaire », « Moi, Bella Ciao, alliée aux prolétaires de toutes ethnies et de tous pays, n'ayant même pas à perdre de chaînes, je vais mener contre vous une action radicale et vous éliminer à jamais de la surface de cet univers », puis elle dit quelques prières silencieuses et, en un instant, la ville se charbonna et perdit son aspect de cité bourgeoise, la place se métamorphosa en un lac de boue noire, le ciel s'assombrit au point que l'on ne distingua plus ni nuages ni corbeaux, les murs des bâtiments se couvrirent de croûtes goudronneuses, et le silence gagna les rues, car la foule des insurgés, ayant brusquement perdu ses repères matérialistes, s'était tue, et, alors que Bella Ciao s'apprêtait à chanter un chant fatal, par les fenêtres du bâtiment dont elles s'étaient rendues maîtresses et à partir duquel elles avaient espéré donner naissance à la contre-révolution, les Sept mésanges mineures la prièrent de mettre fin à ses sortilèges, expliquant qu'elles n'avaient au fond aucun intérêt à quelque remise en marche des rapports marchands que ce fût, et qu'elles avaient agi par pure gaminerie, réalisant un crime politique majeur et donnant la mort aux lumières libertaires sans intention de la donner, ajoutant qu'elles connaissaient sa réputation de voyageuse parmi les forces et parfois, sous une forme masculine, de voyageur, et qu'elles-mêmes appartenaient à un monde où les

Doudnousses, les prolétaires, les gueux égalitaristes et leur destin comptaient peu, et même ne comptaient pas du tout, et que donc elles suggéraient de construire une alliance solide avec elle et même, si leur entente se cristallisait de belle manière, une fratrie, et, comme Bella Ciao avait suspendu le début de son chant létal et ne répondait pas, promettant d'abandonner aussitôt la ville ainsi que le projet de rétablissement du capitalisme qui, prétendaient-elles, n'avait été pour elles qu'une facétie destinée à rompre l'ennui qu'elles avaient ressenti à vivre dans cet univers trop harmonieux, où certes on fusillait de temps en temps un chef mais où régnaient une impression pénible d'égalité, un système d'arasement physique et mental, un nivellement des individus par le bas, et où les privilégiés devaient ruser pour que s'épanouissent et se perpétuassent leurs privilèges, où les riches étaient lamentablement considérés comme des parias, où les savants devaient consacrer leurs efforts intellectuels à une recherche désintéressée qui ne leur rapportait ni médaille ni avantages d'aucune sorte, et leur discours se développa ainsi pendant un nombre de quarts d'heure non mesurable, car Bella Ciao pour les écouter avait suspendu à la fois sa mortelle rhapsodie et l'écoulement du temps, ce qui lui permettait de peser les intentions réelles des Sept mésanges mineures et d'en évaluer à la fois sincérité et pertinence, mais, comme les Sept mésanges mineures insistaient sur leur propre aristocratie et se plaignaient de devoir beaucoup plus qu'avant la révolution se baigner dans des bains publics en compagnie de miséreux et faire la queue dans des magasins d'alimentation où la plupart des produits manquaient, Bella Ciao, peut-être parce qu'elle se trouvait encore sous l'influence de la rééducation qu'elle avait récemment subie en fin de cortège syndical, ou peut-être parce qu'elle n'avait pas effacé de sa mémoire les humiliations et la constante angoisse du lendemain qui l'avaient obligée à se prostituer pendant des mois auprès de nantis et de riches lubriques, sentait monter en elle quelque chose qui avait les apparences d'une colère de classe, sentiment qu'elle n'avait guère éprouvé jusqu'à présent mais qui lui semblait ici fort justifié, et, sans plus peser ce que valaient les discours des mésanges mineures, elle ouvrit sa bouche admirable et elle dit à mi-voix, afin d'être entendue des assiégées sans que les assiégeants surprissent ses paroles, « Moi, Bella Ciao, je ne reconnais pas votre autorité, je n'ai aucune sympathie pour vos personnes », « Quelles que soient vos prouesses passées et vos qualités de dames de la haute, je ne vous respecte pas, je n'éprouve envers vous qu'un immense dégoût de classe et je ne souhaite que vous anéantir », « Mes compagnons et mes compagnes des bas-fonds anarchistes danseront sur les résidus et les cendres qui seuls témoigneront un jour de votre passage en ce monde », puis elle entreprit de déployer quelques sortilèges destinés à métamorphoser les mésanges mineures en berlingots naphteux incapables de bougerie ou de pensement, or celles-ci étaient coriaces et aussitôt réagirent, pour commencer réduisant en torches mortes l'ensemble des éventuels compagnons et compagnes de Bella Ciao, ainsi la privant de tout soutien logistique à venir, ne se laissant arrêter par aucun remords à l'idée de cette armée gueuse agonisant dans les flammes, à l'idée de ces femmes, certes mi-humaines mi-animales, qui tombaient l'une sur l'autre, le corps ravagé par une oxydation terrifiante, à l'idée de ces orphelins qui allaient grandir dans l'obscurité et la misère, à l'idée de ces intelligences, certes d'arrière-plan, qui s'éteignaient dans la souffrance, à l'idée de ces amours entre Doudnousses inabouties, certes médiocres, certes dépourvues de grandeur poétique, ces amours, certes éloignées des émois propres aux heureux du monde, mais, quoi qu'il en fût, inabouties, ne se laissant intimider ni par le nombre des victimes ni par la justesse de leurs revendications, considérant que les masses, qu'elles fussent ou non animées de haine envers les riches, étaient des détritus bons à brûler, bons à éliminer sans frémir, à incinérer au phosphore sorcier ou au napalm sorcier, ou, à défaut, au simple feu nucléaire ou à l'essence, puis elles s'attaquèrent à celle qui se tenait au centre de la place, bien visible en dépit des ténèbres grandissantes, et les défiait en dansant lentement une danse de mort destinée à les défaire, et, en dépit de sa formidable expérience du combat, il est vrai que Bella Ciao eut un peu de mal à contrer leurs vilenies acides, leurs vilenies vibrantes et leurs vilenies térébrantes, et, comme elle vacillait sur le sol qui se craquelait sous ses pieds et émettait des vapeurs extrêmement nauséabondes et carbonées, elle laissa passer au-dessus d'elle un ultimatum des mésanges mineures, dans lequel celles-ci révélaient leurs noms, Deborah-hanche-en-biais... Bayeeya-folleville... Lou-des-ravines... Naïmiya-toute-cristal... Barbara-dévasteuse... Milmy-grande-fripouille... Augustine-aile-de-faucon... et tentaient de la convaincre de ne pas s'engager dans une dispute qu'elle avait, selon elles, peu de chances de voir tourner à son avantage, car elle était seule contre sept et, même si elles ne doutaient pas que la réputation qui l'avait précédée fût méritée, elles possédaient chacune assez de pouvoirs pour la lignifier en quelques secondes et la précipiter aussitôt dans un brasier où elle se consumerait sans pouvoir rien dire pendant deux à trois siècles, puis elle se secoua d'un peu de poussière qui l'avait empâtée, et que sans doute les mésanges mineures avaient envoyée sur elle afin de lui faire perdre un peu de ses forces, puis, piétinant sans hâte la terre chaude et goudronneuse qui avait remplacé le pavé de la place principale, elle s'avança vers le bâtiment déjà dépourvu de charpente et de murs où les mésanges mineures avaient établi leur camp retranché, et, tout en marchant, elle chantait de vieilles chansons de soldats qu'elle entremêlait à des thrènes et à des lamentations qui anticipaient sur le décès de ses ennemies et obligeaient celles-ci à imaginer à l'avance leur défaite et les troublaient, puis, alors que de tout ce qui tenait lieu de trou ou de fenêtre partaient des salves hurlantes destinées à lui arracher les membres et à lui déstructurer les entrailles et le jugement, elle fit venir l'obscurité sur le monde et, quand plus rien ne fut visible, elle la renforça et la densifia au moyen de gestes intimes des ovaires, des palpèbres et de l'anus, réussissant à produire une matière ténébreuse compacte à travers laquelle seule elle pouvait se frayer un chemin, un tissu d'espace silencieux d'où les notions de vilenie et de douleur étaient exclues sinon partant d'elle et infligées par elle, et elle se mit à avancer là-dedans avec précaution et lenteur, se dirigeant vers ses ennemies en se repérant aux battements de leur cœur, et, comme elle n'avait plus aucune raison de se presser dans la mesure où elle savait que la paralysie des mésanges mineures était totale, douloureuse ou indolore, peu importe, mais totale, et que leur emprisonnement dans cette matière noire qu'elle avait créée était beaucoup plus efficace et sans retour qu'une inclusion dans une résine, elle fit une halte dans un cabinet de lecture qui se trouvait sur sa route et elle y consulta plusieurs encyclopédies en démonologie et en nécromancie psychiatrique, puis, n'ayant pas trouvé dans les pages savantes mention des Doudnousses, elle s'accorda un moment de détente pour lire et relire les œuvres complètes de Lovecraft ainsi que celles de Kropotkine, qui lui semblèrent les unes et les autres, quoique fort plaisantes, assez éloignées de l'expérience qu'elle venait de vivre… la manifestation… les slogans et conseils pour l'organisation de la vie après la révolution, une fois les premières vagues radicales retombées… la rééducation… la promiscuité avec une espèce mi-humaine mi-animale… et, au bout du compte, elle estima qu'elle avait sans doute mal interprété la situation dans laquelle elle avait été plongée, et que, peut-être, ses sympathies pour la foule n'avaient été que superficielles et qu'elle s'était emballée, peut-être parce qu'elle sortait d'une trop longue solitude ou parce que la haine amoureuse complexe qui l'avait liée à Jean Ostalnoï avait laissé en elle une part rêveuse de nostalgie ou une amertume qu'elle s'était dépêchée de compenser dès qu'elle avait rencontré des êtres vivants, qu'elle s'était instinctivement décidée à effacer en oubliant pour un temps l'immensité de ses pouvoirs et en s'adonnant à la compassion, à la révolte sociale et au désir de fraternité, puis elle replaça les volumes sur les étagères du cabinet de lecture et sans plus tergiverser elle progressa vers le nid pétrifié où battaient les cœurs des mésanges mineures et, arrivée tout près de ce nid, elle tourna autour trois cent quarante-trois fois puis de nouveau, dans l'autre sens, sept fois quarante-neuf fois, et, lorsqu'elle jugea que le sortilège avait bien mûri, elle engagea de brefs dialogues avec celles qu'elle avait sans peine terrassées, éclairant en pensée leurs visages et leurs corps et constatant qu'il s'agissait de créatures somptueuses, d'une beauté de velours et de scintillements qui entretenait peu de rapport avec la vivacité colorée des oiseaux, colorée mais humble, et en réalité mettait en évidence, sur un mode royal, une perfection esthétique qui n'avait rien à envier à celle de Bella Ciao, de brefs dialogues qui se donnaient pour tâche de faciliter l'extinction de ses interlocutrices, et même de l'adoucir, car elle s'apercevait au moment de les anéantir que les mésanges mineures étaient beaucoup plus clairement ses sœurs que les femmes doudnousses qu'elle venait d'accompagner dans leur rage insurrectionnelle, et dont déjà elle avait du mal à se souvenir, car pour elle il s'agissait d'un épisode peu glorieux qu'elle remiserait parmi huit ou neuf mille aventures auxquelles elle avait participé par hasard et sans vraiment y croire, qu'elle remiserait parmi douze ou treize fois cent onze millions de rêves peu dignes d'être archivés, qu'elle archivait néanmoins mais qu'elle ne remuait que pendant les longues périodes d'inactivité, quand par exemple elle aboutissait dans une caverne paradisiaque et y restait mille ans, heureuse et oisive, tantôt s'ébattant amoureusement, tantôt revoyant de vieilles pellicules, tantôt se replongeant dans d'anciennes littératures, tantôt en effet s'immobilisant pour mettre un peu d'ordre dans la masse déconcertante de ses songes, et pour commencer elle s'adressa à Deborah-hanche-en-biais, louant sa stupéfiante beauté et regrettant de devoir lui anéantir les organes les plus sensibles, afin qu'elle assiste impuissante, prise dans une masse imbrisable, à sa lente dégradation, programmée pour durer quatre fois cent sept siècles, ce qui était relativement peu et correspondait à la peine minimale que le sortilège qu'elle avait mis en branle exigeait, puis à Bayeeya-folleville elle donna quelques conseils pour s'occuper mentalement durant son agonie, puis, sans regarder Lou-des-ravines ni Naïmiya-toute-cristal, car elle n'ignorait pas que leur splendeur l'eût hypnotisée et privée de toute parole, elle dit « Petites sœurs, votre erreur a été de manœuvrer pour que le capitalisme fût établi ou rétabli dans ce monde noir où je n'avais, je l'avoue, ni attaches ni raison d'être, autrement j'aurais volontiers accepté de rejoindre votre nichée », et enfin elle se tourna vers Barbara-dévasteuse, Milmy-grande-fripouille et Augustine-aile-de-faucon et les caressa d'une voix extrêmement agréable et mélodieuse, citant pour les consoler des quatrains de poètes post-exotiques qu'autrefois Volodine, par pure jalousie mesquine, avait passés sous silence, vraisemblablement parce que la magnificence de leur prose rythmée, au contraire de la sienne, projetait immédiatement dans un état de jouissance qui pouvait durer des semaines, sans parler du fait qu'elle repoussait dans les oubliettes de la littérature les laborieuses tentatives poétiques des prisonniers écrivains dont Volodine avait parlé et qui on ne sait pourquoi avaient connu la gloire éditoriale ou, du moins, une certaine notoriété à l'intérieur de leur quartier de haute sécurité, et ainsi elle fit sortir de l'ombre, pendant fût-ce un instant, l'ignorée *Anthologie de la barque* de Maria Scheuermann, et l'étourdissante *Sublime route* de Noriko Schigulla, puis, quand toutes les mésanges mineures, l'une après l'autre, eurent manifesté qu'elles étaient apaisées et acceptaient l'atroce moment de leur décès, qui allait être suivi non d'une perte de conscience mais d'une interminable attente que rien ni personne ne pourrait soulager ni diminuer, elle tissa en un tournemain l'éternité autour de leur cœur et les laissa, ne jetant aucun regard par-dessus son épaule et perçant devant elle l'opacité plus dure que du basalte, puis peu à peu par ses hymnes affadissant sa résistance, jusqu'à ce qu'enfin elle pût s'extraire de la gangue noire qui avait assuré son triomphe, et pût enfin cheminer dans des ténèbres absolues mais moins épaisses, beaucoup moins épaisses, et seulement alors elle observa le paysage autour d'elle, un paysage nocturne… des rues, des arcades… des façades en pierre gris sombre… pas mal de monde, comme pendant une fête ou juste après… oui, plutôt juste après, au moment où les défilés officiels se sont dispersés… des lanternes nombreuses… des fenêtres ouvertes, l'air estival chargé de parfums de nourriture… une odeur persistante d'iode à l'arrière-plan, on devait se trouver à proximité de l'océan… des échos de chansons d'ivrognes… des groupes d'amis éméchés, braillards, zigzagueurs… des camarades en goguette… et, comme elle venait de se mêler à cette masse en désordre, et comme elle surprenait les regards stupéfaits qu'aussi bien hommes que femmes posaient sur elle, car elle était nue, plus nue qu'une statue de divinité nue, et admirablement bien faite, elle jugea plus sage de se transporter tout entière dans le premier corps venu, et, désireuse de ne pas entamer une nouvelle aventure par une rixe ou un conflit, et afin que nul ne s'enhardît à l'importuner par des réflexions machistes ou des avances ou des palpations non souhaitées, elle commença par donner aux spectateurs abasourdis l'impression qu'ils avaient été en présence d'une hallucination collective, et, tout en se maintenant à l'intérieur d'une sphère d'invisibilité, elle prononça rapidement des paroles sorcières que d'ordinaire elle réservait à des ennemis très rapprochés mais de petit pouvoir, pour les foudroyer sans remède et s'occuper de guerroyer contre les autres, contre ceux ou celles qui possédaient de véritables forces surnaturelles, car dans les combats en général la gueusaille aux magies insignifiantes était la première à lui faire front, tandis que les mères méduses et les grandes harpies, les officiers du vent et les thaumaturges dotés de noms restaient à l'arrière, cherchant à la fatiguer d'abord avant de batailler contre elle et cherchant aussi à tester ses capacités afin de voir si quelque défaut de tactique allait se révéler par inadvertance et la trahir, et, à peine avait-elle terminé l'éjaculation de cette brève chaîne de syllabes que sa beauté se charbonna, que sa peau se flétrit et s'empoussiéra et que, sous cette peau, son organisme se ratatina et à très grande vitesse floconna, flocha et s'affaissa, et qu'au cœur de cet organisme ne subsista plus soudain qu'une chagrine poignée de filaments graisseux dépourvus de tout appui d'os ou de cartilage, et, lorsque cette opération de dégradation expresse fut accomplie, elle bondit invisiblement et s'infiltra dans les viandes et les pensées de la créature qui à cet instant était la plus proche d'elle, et qui se trouvait être un garagiste dont l'exemplarité prolétarienne était fort discutable, d'une part parce qu'il lui arrivait de trafiquer des voitures et même des camions volés, et d'autre part parce qu'il côtoyait des milieux qui considéraient que la politique était surtout une affaire d'exécutions et de représailles, ce qu'il considérait lui aussi, mais plus par amour du cassage de gueule et des fusillades que par conviction anticapitaliste, et qui, répondant au nom de Babour Marsyas, avait l'apparence d'un ours de cirque en cavale, avec une chevelure dépeignée, une moustache noire hirsute et une combinaison pleine de taches enfilée sur son torse velu, et s'apprêtait à invectiver un camarade prolétaire tout aussi peu endimanché que lui, camarade qui, à ce qu'on pouvait comprendre et vraisemblablement sous l'empire de l'alcool, d'une part lui reprochait d'avoir gâché la fête en ayant interdit à sa jeune sœur Froufrou Marsyas de sortir s'amuser avec eux pour l'anniversaire du 22 'Hechvan 5678 et, plus globalement, de préconiser, sans doute en raison d'une boue incestueuse qui lui cloaquait l'esprit, une sorte de claustration systématique de ladite pucelle, et d'autre part suggérait que ladite pucelle était nettement dévergondée et ne dédaignait ni homme ni femme, qu'au contraire tout ce qui passait à portée de ses fesses était, par elle et avec une fougue fort souvent communicative, invité à y séjourner un moment, de sorte que Bella Ciao non seulement avait pris place dans un corps plutôt grossier, dans les chairs imbibées d'alcool d'un quadragénaire aux qualités humaines médiocres, mais se retrouvait subitement impliquée dans une querelle dont tout indiquait qu'elle allait évoluer en rixe, et, bien qu'elle n'éprouvât aucune difficulté à se rendre maître, ou maîtresse, de l'esprit brumeux de son hôte, elle se tassa en lui sans le dominer et lui abandonna pour quelques instants la conduite des événements, le temps pour elle de prendre ses dispositions concernant l'avenir, ou du moins concernant les minutes et peut-être les heures qui allaient suivre, et, s'amusant de ce rôle de témoin caché, elle entendit Babour Marsyas déverser en direction de son camarade un certain nombre de réparties injurieuses, parmi lesquelles la virginité de la mère de son camarade était mise en cause, ce qui en soi n'aurait rien eu de surprenant si cette perte forcément inévitable de virginité n'avait été, d'après Babour Marsyas, accompagnée de perversions anales et d'innombrables passages de pénis extrêmement diversifiés en taille et en couleur, car Babour Marsyas, piqué au vif par les accusations de lascivité pétulante dont sa sœur avait été la cible, se déchaînait en assimilant la mère de son camarade à une catin offerte à tous les vents et à tous les marins, discours qui fut interrompu par une empoignade puis un puissant coup de boule, dont Bella Ciao ressentit les effets du front aux replis cervicaux les plus primitifs, suite à quoi, jugeant qu'elle en avait assez de son rôle passif, elle projeta vers les yeux du camarade agresseur ses doigts en fourchette, assez habilement et violemment pour que le camarade, nommé Titus Dayakroon, fût en une seconde et jusqu'à sa mort privé d'une grande partie de ses globes oculaires, et en tout cas non seulement éborgné, mais aveuglé, car les ongles de Babour Marsyas avaient crevé de la cornée à la rétine l'essentiel des domaines liquides ou transparents les plus utiles à la vision, puis, afin que la plainte de Titus Dayakroon ne s'élevât pas tragiquement au centre du groupe d'amis et camarades qui avaient assisté à la scène mais s'en préoccupaient peu, car pour eux la nuit festive, qui suivait les défilés et manifestations du 22 'Hechvan, méritait de ne pas être salopée par des différends intimes, et la dispute entre Titus Dayakroon et Babour Marsyas n'était qu'un épisode amusant et bref auquel il valait mieux ne pas trop attacher d'importance, elle s'arrangea pour que Titus Dayakroon fût privé de souffle mais nullement d'équilibre, prévoyant pour lui au moins une minute de vacillations et de titubements silencieux avant l'inévitable chute, et, tout en retirant les doigts de la cavité oculaire où ils avaient fouillé, elle secoua l'humeur vitrée qui collait dessus et elle s'adressa mentalement à son hôte, disant « Moi, Bella Ciao, j'ai pris possession de ton organisme » et « Tu vas bientôt avoir autant d'autonomie et de pensée qu'une éponge ou qu'une pierre, mais personne ne s'apercevra que quelqu'un d'autre pense et agit à ta place » et « Moi, Bella Ciao, je te conseille de t'abandonner à moi sans résistance, car, de toute façon, ton destin s'arrête ici », puis elle haussa les épaules et fendit la foule dans un sens contraire à celui qu'avait choisi le groupe de garagistes, de soldats, de plombiers et d'électriciens à quoi, jusque-là, avait appartenu Babour Marsyas, s'efforça de se fondre dans l'anonymat de l'après-fête, parmi les traînards, les éméchés, les vociférateurs, les ouvriers sombrement anarchistes mais portant les brassards du

Parti, les ouvrières modèles et leurs amies délurées, décolletées, rieuses, en cascade de rire et beaucoup moins modèles, les miliciens en service, les miliciens ivres, déjà libérés de leurs obligations de maintien de l'ordre, n'ayant plus qu'un brassard froissé pour marquer leur différence de statut avec le reste du prolétariat, toutefois, comme Babour Marsyas dans la ville était une figure relativement connue, elle devait souvent répondre à des salutations amicales, à des plaisanteries sans malice, à des tapes dans le dos ou sur l'épaule, et puiser dans la mémoire de son hôte pour savoir quelle attitude adopter, quel niveau de décontraction, de douceur bourrue ou de furtive agressivité elle devait mettre en œuvre pour réagir sans fausse note, puis elle s'enfila dans une ruelle où seules s'observaient, sous des réverbères qui brûlaient déjà, alors que le crépuscule ne s'était pas encore vraiment étendu sur la ville, les déambulations des filles maquillées et de leurs clients, puis, ayant débouché sur le port, elle regarda un instant les bâtiments à l'ancrage, dont la vétusté lui indiquait que la révolution, bien qu'ayant triomphé une fois encore, n'avait pas réussi à renouveler les bases économiques et techniques du régime qui avait précédé et s'acheminait, une fois encore, vers une phase de stagnation et de dégénérescence, pendant laquelle, une fois encore, pauvres, humbles et producteurs héroïques allaient se décourager, sombrer et s'entre-déchirer, tandis que les plus malins se prépareraient à l'écroulement et à prendre les leviers de commande au moment où le régime à bout de souffle serait remplacé par un autre, contre-révolutionnaire, marchand et cruel, qui renverrait les esclaves dans les usines et les fermes dont ils n'auraient jamais dû sortir avec des drapeaux libertaires, débaptiserait les avenues, les parcs et les villes, proclamerait la désuétude des fêtes prolétariennes, réhabiliterait les dollars, la course aux dollars, prônerait le mépris des pue-la-sueur et le droit à l'opulence pour les riches et les nobles, sans parler de l'inévitable fuite en avant vers des guerres terribles, destinées à fouetter l'industrie, à dynamiser les économies de pointe et à éliminer le trop-plein des naissances au sein des basses castes, et, au moment où elle réfléchissait à ce probable avenir, Babour Marsyas, qui jusque-là s'était recroquevillé au fond de son propre esprit sans faire d'histoires, comme cuvant un cauchemar aviné et remuant peu ce qui pouvait encore jouer en lui un rôle de pensée organisée, grogna, et elle comprit qu'ils venaient d'arriver devant un garage qui donnait sur le port, et qui, à en juger par ce qu'elle voyait dans l'ombre du local, des carcasses et des moteurs désossés, et peu d'étagères chargées de pièces neuves, accueillait des camions, des camionnettes et des véhicules en fin d'existence pour alléger leur agonie plus que pour les remettre à neuf, ce que confirmait l'enseigne mal lisible, « L'Orient mécanique rouge, toutes machines même hors service, bricolage, discrétion, petits prix », et, traversant l'atelier en trébuchant deux ou trois fois, elle sortit une clé de sa poche et ouvrit la porte de l'appartement attenant, fit la lumière et le tour des pièces, constatant avec indifférence, mais au grand déplaisir de Babour Marsyas, que la jeune sœur de celui-ci, Froufrou, n'était présente nulle part, ce qui amena sur les lèvres de Babour Marsyas un bougonnement à quoi Bella Ciao donna aussitôt une certaine ampleur sonore, disant « Cette petite salope est allée se frotter à n'importe qui », et « Cette petite conne de Froufrou est allée sucer la queue de Titus Dayakroon ou celle de Dan Foulonkinos ou celle de Sabhar Madvidine, notre connard de voisin », et, comme elle avait accompagné ces suppositions de plus en plus violentes et pâteuses de coups donnés dans les murs et de projections diverses d'objets, en particulier d'objets appartenant à la dénommée Froufrou, dont la chambre était encombrée de peluches ridicules et de reproductions en céramique bon marché de figures mythiques, telles que Micki Moose, Latrine Mariol, Madeleine Polpotte, les Sept filles belettes, Goldodrack, ou d'autres divinités au destin plus local, telles que la Mouette jaune, la Lorelei ou Trotski, elle changea d'humeur, quitta l'indifférence qui l'avait jusque-là dominée et se fâcha, elle aussi, contre la petite idiote, prenant le parti de Babour Marsyas qui à juste raison tentait de l'empêcher de verser trop librement et scandaleusement dans une putasserie peu en accord avec la morale prolétarienne dont il avait été abreuvé dans son éducation, certes brève mais efficace, et où les filles se devaient d'être héroïques, dévouées, en tout cas, à l'idéal collectif, et affecter une certaine retenue face aux choses du sexe, ou du moins faire en sorte de ne pas être déflorées avant l'âge respectable de quinze ans pile ou, à la rigueur, de quatorze ans neuf mois, voire, avec une dérogation des tuteurs, de quatorze ans sept mois et douze jours, et, tandis que sa rage contre la dénommée Froufrou augmentait, elle fit taire en elle toute velléité de survie de Babour Marsyas, s'adressa à celui-ci pour l'annuler en disant « Babour Marsyas, à partir de cet instant je prends totalement les choses en main » et « Babour Marsyas, désormais tu vas dormir infiniment » et « Babour Marsyas, dissous-toi en paix, je m'occupe du reste », puis elle repoussa toute trace mentale de son hôte et, se servant du corps de celui-ci comme d'un exosquelette, elle mit à sac la chambre de la dénommée Froufrou, prenant un certain plaisir à réduire en miettes les Sept filles belettes et Madeleine Polpotte, qui dans un très, très lointain passé, à environ douze mille deux cents siècles de là et des poussières, avaient essayé de la détruire, ce qu'elles n'avaient pas réussi à faire car elle avait contré leurs manœuvres en les arrosant de braises infernales, les condamnant à une éternité de brûlure, et qui, dans la chambre poussiéreuse et malodorante de cette gamine, réapparaissaient sous la forme anodine mais provocante de statuettes de glaise cuite, or, tandis qu'elle piétinait les débris en écoutant le crissement de l'émail sous les grosses semelles de ses chaussures, elle remarqua les émanations d'une fumée magique, et, s'étant concentrée sur cette énigmatique et presque imperceptible manifestation surnaturelle, elle en déduisit que quelque chose de Madeleine Polpotte ou des Sept filles belettes avait subsisté et avait trouvé refuge dans les statuettes, peut-être à la suite d'un savant calcul horoscopique qui, douze mille deux cents siècles plus tôt et des poussières, avait annoncé qu'un jour, à cet endroit, dans cet arrière-garage, l'affrontement allait reprendre, ou par suite d'un pur hasard, ou peut-être par un nœud du destin qui s'amusait sinistrement à remettre en présence les vieilles ennemies, ce pourquoi bien que peu inquiète elle mit un terme au puéril saccage de la chambre de la sœur de Babour Marsyas et prononça quelques formules destinées à lui servir d'armure provisoire, au cas où, venues de nulle part, les Sept filles belettes et Madeleine Polpotte tenteraient de la terrasser par surprise, murmurant distinctement, en prenant une voix de basse et en greffant sur chaque syllabe des coups de glotte et des infrasons, « Oôdaâr-omi, Tchousch-omi, Oôômm-omi », puis, comme rien de spécial ne se produisait à proximité, comme ses ennemies ne montraient aucun nouveau signe d'existence, elle éteignit les lampes dans le logis, referma derrière elle la porte, et, laissant le portail du garage, comme elle l'avait trouvé en arrivant, à moitié levé, elle repartit sur le port puis s'enfonça dans la nuit, dans les résidus de foule débraillée qui allaient à sa rencontre, et, comme elle répondait de manière normale quoique bourrue à ceux ou celles qui la prenaient pour Babour Marsyas, réalisant avec eux ou elles de courts dialogues, elle apprit que la dénommée Froufrou avait fugué en compagnie d'un certain Jean Goliathan, de trente ans son aîné, connu dans le voisinage pour sa truculence, sa faconde, ses succès féminins et ses opinions putschistes, qu'il défendait volontiers en public mais ne songeait pas une seconde à faire partager à ses interlocuteurs, et encore moins à mettre en perspective dans un cadre organisationnel, ce pourquoi les services spécialisés le laissaient tranquille, vérifiant simplement de temps en temps que ses maîtresses avaient bien au moins quinze ans pile ou, à la rigueur, quatorze ans neuf mois, voire, avec une dérogation des tuteurs, quatorze ans sept mois et douze jours, vérification à quoi il se prêtait sans protester, car il veillait scrupuleusement à ne pas se trouver en délicatesse avec la réglementation, ce dont plus d'un de ses compères prenait prétexte pour le moquer, le traitant amicalement de putschiste d'opérette, et que ce Jean Goliathan demeurait 91 rue des Grince-moulins, où il avait une alcôve privée, un four à micro-ondes et assez de provisions de bouche pour garantir à toute donzelle s'étant acoquinée avec lui une opulente parade nuptiale et une noce prolongée, endroit vers lequel Bella Ciao se dirigea, plus par curiosité vaguement cancanière que pour faire la leçon aux amoureux, car maintenant qu'elle avait dépossédé Babour Marsyas de toute sa substance existentielle, ne conservant de lui que sa lourde charpente, son apparence d'ours mal léché et sa démarche d'ivrogne, elle avait cessé de l'accompagner dans son ressentiment sans doute incestueux, cessé de le suivre dans sa colère contre la dénommée Froufrou, et, au cours de cette traversée de la ville pendant laquelle on avait dessiné et peint devant elle le portrait du rapteur de jeune fille, elle s'était assez vite convaincue qu'il s'agissait d'un personnage plus sympathique qu'odieux, aussi, lorsque, ayant frappé au 91 de la rue des Grince-moulins, puis, ayant constaté l'absence de réponse et ayant perçu, de l'autre côté du panneau, des chuchotements affolés, elle eut ouvert la porte d'un brusque coup d'épaule, faisant éclater les gonds, elle laissa les éclats de bois s'éparpiller sur le sol et ne se précipita pas comme un animal furieux vers l'alcôve où les amants avaient interrompu peureusement leur copulation, et, au contraire, elle alla s'asseoir dans un coin, la tête basse, comme un homme abruti par le vin et hésitant, dans les circonvolutions de son cerveau brouillé, entre la méditation sur les relations humaines, la tristesse post-coïtale par délégation, la stupeur alcoolique et une diffuse envie de vomir, et, tandis que Froufrou moyennement gênée se couvrait de quelques nippes en ronchonnant, elle huma lentement et sans ostentation les odeurs de corps en sueur et de gymnastique stupreuse, appréciant la trace d'après-rasage que Jean Goliathan émettait, car en bon séducteur avant l'action toujours il répandait quelques gouttes de parfum sur ses parties intimes, ses poils et ses aisselles, il avait ce genre de délicatesse qui plaisait à ses conquêtes quel que fût leur âge, et, quoique sentant qu'elle dérivait vers des zones élémentaires et animales, et préhistoriques, de sa complexe personne, et sachant que cette simplification extrême de son être serait une fantaisie sans profondeur et sans lendemain, elle se mit à considérer qu'elle pourrait fort bien sauter de Babour Marsyas à Jean Goliathan, s'installer dans Jean Goliathan et vivre quelque temps au centre de ses élémentaires, animales et préhistoriques débauches, et, au moment où elle développait cette pensée et soupesait avantages et inconvénients qui découleraient de ce changement de peau, la dénommée Froufrou à moitié rhabillée secoua sa chevelure rousse et, fronçant son délicieux minois, reprocha à son frère son intrusion, prétendant qu'elle était assez grande pour savoir ce qu'elle devait faire ou pas, qu'elle n'avait nul besoin de sa surveillance incessante et abusive, et moins encore de ses interdictions dictatoriales, et, comme dans son coin Babour Marsyas se tenait sombre et abattu, Froufrou prit de l'assurance et sa voix évolua vers une gouaille agressive et postillonnante qui convenait mal à sa demi-nudité et, surtout, à sa jolie figure d'adolescente rayonnante, et Bella Ciao pensa « Moi, Bella Ciao, voilà que je suis assise dans la pénombre étouffante d'un nid d'amour pour petites gens, pour travailleurs pauvres et sans avenir, voilà que je subis tête basse le torrent d'insanités proférées par cette péronnelle, voilà que je suis tentée de me reposer un moment dans cette ville portuaire, voilà que je suis tentée de m'emparer du corps suant mais parfumé de Jean Goliathan, médiocre bellâtre des banlieues, voilà que sans raison j'envisage de descendre au fond des bas-fonds et du rien », puis, sans plus balancer, elle se leva et se dirigea vers la sœur de Babour Marsyas comme pour la frapper violemment au visage, ce qui provoqua une réaction des deux amants, cri d'effroi de Froufrou et posture menaçante de Jean Goliathan, qui avait sauté du lit, nu et légèrement grassouillet, qui avait ramassé à côté du lit une bouteille d'eau-de-vie et qui la brandissait à présent, et, comme Babour Marsyas continuait à avancer, Jean Goliathan, qui n'était pourtant pas d'un naturel brutal et, bien qu'étant prédateur dans le domaine sexuel, n'agissait avec les femmes qu'avec une incontestable douceur et, avec les hommes, en général évitait les conflits, lui fracassa sur la tête la bouteille d'eau-de-vie, ce qui ne constituait pas une blessure mortelle, loin de là, juste une vaste coupure du cuir chevelu et des ébréchures frontales, et tout au plus un étourdissement passager, mais servit de prétexte à Bella Ciao pour rebattre les cartes de cette scène qui se rattachait, quand on y pense, à la fois au théâtre bourgeois et aux excès censurés du réalisme socialiste, et, d'une part, elle s'arrangea pour que Babour Marsyas basculât en arrière et, tombant de toute sa masse sur un débris de porte malencontreusement dur et acéré, se transperçât la cervelle d'une façon que même un propagandiste du Parti, chargé d'entretenir le moral des troupes et de toujours mettre en valeur le côté positif des événements, eût qualifié de fatale, d'autre part, profitant du désarroi général et tandis que Babour Marsyas en était encore à s'incliner pesamment vers l'arrière, elle prononça les paroles d'enchantement qu'il fallait pour ce cas simple, car aucune de ses cibles n'avait d'autre historique que son nom, « Babour oghodoôn, Marsyas oghodaloôn, Jean ng nagawiesh, Goliathan ng nagawiesh », puis elle passa de l'un à l'autre, abandonnant derrière elle l'immense creux noir, à jamais sans écho, à quoi désormais se résumerait l'inexistence de Babour Marsyas, et, dans le même mouvement, foudroyant en un dix-millième de seconde toute résistance intérieure de Jean Goliathan, prenant à jamais les commandes de son être, de ses souvenirs, de ses projets, de ses erreurs d'appréciation et de ses désirs, et pour finir elle se tourna vers Froufrou et elle échangea avec elle un regard bref mais chargé, exigeant d'elle qu'elle se reprît en main, cessât de hurler et se dominât, et, ne pouvant obtenir de Froufrou, qui poursuivait ses cris hystériques, qu'elle lui obéît, elle estima en avoir assez supporté de ce côté-là et, lançant vers le cerveau de Froufrou un tentacule mental, elle mit à profit l'intrusion pour brûler ce qui sous ce crâne était le plus détestable, l'instabilité, la puérilité, les pulsions sexuelles incontrôlables, la petitesse des sentiments, la superficialité des jugements, or, alors que tout cela se carbonisait à la vitesse de la lumière, elle s'aperçut que Froufrou ne possédait presque plus rien d'autre, et, penaudement examinant les restes, penaudement car elle avait agi sans retour possible et ne s'était pas attendue à ainsi mutiler définitivement et dans toutes leurs dimensions les frustes pensées de la jeune fille, elle distingua parmi les débris de cette mémoire des graines d'ombres indépendantes, comme venant d'ailleurs, et, les ayant analysées, elle les identifia comme étant un écho de l'existence des Sept filles belettes et de Madeleine Polpotte, qui mystérieusement avaient réussi, depuis leurs formes en peluche et en porcelaine, à s'incruster dans l'âme de Froufrou, et à y organiser un semblant de vie précaire, ou plutôt de survivance, assez indéfinissable mais concrète, puisque sous les os de Froufrou elles avaient non seulement élu domicile, mais développé une espèce d'autonomie secrète que l'intrusion de Bella Ciao dérangeait, et qu'à présent elles s'acharnaient, devant le danger de l'attaque, à prendre en urgence de la puissance, et à passer de leur état quasi végétatif, plus proche de la cryptobiose que d'autre chose, à la soudaine et entière et torrentueuse existence et flamboyante conscience magique, telles qu'on les observe chez les organismes mythiques et les sorcières immortelles, disant d'une part « Moi, Madeleine Polpotte, par le Troisième Ciel Rouge Sang et par celui qui est, qui sera et qui s'en est allé, je vais résister à l'invasion de cet étranger qui n'est ni la dénommée Froufrou, cette petite conne dans qui j'avais trouvé refuge ces dernières années, ni la dénommée Bella Ciao, alias Jean Goliathan en cette seconde, mais, si l'on cherche les sources et les racines, si l'on puise dans les lointaines mémoires de l'espace noir, dans leurs replis plurimillénaires, qui n'est pas non plus la regrettée Amandine Odilone, mais, derrière le bouclier des siècles, derrière la cuirasse innommable de centaines de milliers de siècles et de centaines de milliers d'identités successives, d'identités provisoires et cyniquement impropres et ridicules, qui n'est nul autre que l'infâme, le cruel et hélas indestructible Moô-Moô, ce sale prince de la suie radieuse et des flammes rigides, des flammes froides, des flammes inhabitables », et d'autre part « Nous, les Sept filles belettes, au nom des Neuf océans immobiles et des Trois taïgas, et par celui qui est, qui sera et qui s'en est allé, nous prononçons le vœu de ne pas être dissoutes dans ce vide atroce que projette partout autour de lui ce Moô-Moô démoniaque, et, au contraire, nous nous engageons à nous reconstituer à partir des miettes de rien qui ont jusqu'à ce jour porté nos vaisseaux et nos nids, qui les ont portés en dépit de la durée infinie, de l'obscurité infinie et des distances infinies qui nous amoindrissaient infiniment, nous faisons serment de rétablir notre force collective et de combattre cet ennemi qui de nouveau a surgi près de nous, fétide, impérial et terrible », phrases imprécatoires qu'elle accueillit avec amusement, car il y avait bien longtemps qu'on ne lui avait appliqué le vieux nom de Moô-Moô, qui appartenait à une époque si éloignée que même elle éprouvait quelque difficulté à la situer sur l'échelle du temps, qui pour elle allait d'un Big-Bang à l'autre et comportait, il faut le reconnaître, un certain nombre de plages temporelles dont les souvenirs de sable s'étaient presque effacés sous l'action des eaux noires et des ténèbres, et, pendant un laps, elle remua ce nom masculin comme s'il ne lui avait jamais appartenu, puis très vite elle s'en empara, estimant qu'elle pouvait bien, après ses récentes aventures qui l'avaient menée d'une enveloppe à l'autre, conserver ce très, très vieux nom et reprendre le fil de l'existence sous la triple identité de Bella Ciao, de Jean Goliathan et de Moô-Moô, tout en sachant que seule la dernière avait quelque chose d'authentique, et ensuite, tandis que dans la pièce Froufrou s'écroulait, que Babour Marsyas se fracassait le crâne et que Jean Goliathan semblait tétanisé par l'inexorable violence des événements, elle brama quelques infrasons destinés aux créatures merveilleuses des alentours, dont elle soupçonnait le réveil imminent, disant « Madeleine Polpotte, reine des salopes sanglantes, reine du sang épouvantable, et vous, les Sept belettes puantes aux noms très-puants, aux appellations pompeuses et délétères que je n'ai pas oubliées, quoique des kilomètres de poussière grasse se fussent accumulés au-dessus des résidus de votre absurde persistance, toi, Irina Courte-paille, toi, Ariana Bête-de-somme, toi, Lioudmila Toute-éclair, toi, Lioudmila Sauvageonne, toi, Irina Brille-de-colère, toi, Irina Toute-splendeur, et toi, Raïa Graine-de-torche, je ne vous conseille pas de relever la tête en ce moment, car j'ai en moi suffisamment de guillotines, de sabres et de haches pour vous décapiter toutes au moindre frémissement que je jugerai hostile à mon égard », et elle ajouta « Je parle en mon nom, c'est-à-dire au nom de celui qui est, qui sera et qui s'en est allé, ni insecte ni homme, ni bête ni femme, ni idole ni caillou, qui s'en est allé et qui va, qui s'en est allé et restera intensément présent ici et là, et à jamais restera maître de son ubiquité et maître de son inertie », et, quand elle eut reniflé les odeurs de peur brute qu'elles émettaient, Madeleine Polpotte et toutes les Sept, elle sut à la fois que celles-ci avaient reconstitué une bonne partie de leur être et qu'elles allaient, du moins pendant un moment, laisser l'effroi bouilloter en elles et réduire peu à peu comme une sauce qu'on abandonne sur le feu, prendre le temps de laisser l'effroi se transformer en scorie glacée avant de réagir et de redevenir vraiment dangereuses, puis, afin de ne pas exposer le nom de Moô-Moô aux événements qui allaient suivre, elle décida de se rebaptiser et aussitôt adopta un nouvel alias, disant en elle-même « Au nom de celui qui est, qui sera et qui s'en est allé, je suis ainsi dorénavant et pour les temps à venir, appelez-moi Jean l'Insolente ou Jeanne le Goudronneux, mais n'usez plus d'autres sobriquets pour vous adresser à moi ou pour penser à moi »… puis « Moi, Jean l'Insolente ou Jeanne le Goudronneux, je vais me retirer pendant quelques milliers d'années dans les rêves flottants de quelques milliers de créatures, dont certaines seront humaines, certaines seront mes épouses et certaines seront mes filles »… puis « Les dernières plongées ont apporté en moi l'épuisement et m'ont fait toucher l'absence d'intérêt des choses de la vie, qu'elles passent par l'humain ou par l'inhumain »… puis « Moi, Jean l'Insolente, je vais à présent quitter cette masure et m'éloigner de ces misérables marionnettes, je vais à présent faire l'obscur et faire l'obscurité », et il attendit d'abord que montât autour de lui une obscurité épaisse, puis, à voix basse, il modela le nom de plusieurs princesses, parmi lesquelles plusieurs se confondaient avec ses filles, puis il appela la nuit sur le monde et dans les cavernes paradisiaques, dans ce qu'autrefois il avait appelé les cavernes paradisiaques, où il s'était prélassé pendant des siècles en mimant l'inexistence et la catatonie de foire, tantôt profitant des rêves des autres pour commettre ses inimaginables méfaits, tantôt feignant en toute impunité le sommeil des morts, ou au contraire s'amusant d'attirer sur lui l'attention avec des tours de petite illusion, s'amusant de donner l'impression, aux gueux qui le regardaient, qu'il dominait mal ou sottement la science et la sorcellerie, s'amusant de la naïveté du public et encore plus de sa lucidité, puis, après quelques jours d'allées et venues dans la poussière moyenâgeuse des foules, sur la crasse des estrades où il était obligé de forcer sa voix de gorge pour surmonter la rumeur que produisaient les marchands, les cochons et les autres bateleurs qui à côté de lui tentaient d'obtenir des piécettes en échange de leurs chants, retournant dans les cavernes paradisiaques qui en réalité n'avaient rien de caverneux, qui en réalité avaient forme de femmes humaines éclopées, quelquefois habiles à feindre la vie et l'intelligence, quelquefois rétives à sa présence, mais le plus souvent indifférentes à son intrusion dont elles avaient peu conscience, ou au contraire disposées à l'accueillir, car elles présumaient qu'il leur apporterait des avantages physiques tels que la fin de leur infirmité ou l'aptitude à obtenir une sensation de bonheur ou de satiété avec du vent et avec peu de chose, et à celles-là qui l'admettaient volontiers en elles il faut reconnaître qu'il offrait des consolations et des miels, et qu'il n'usait jamais de brutalité, et donc il appela la nuit et, quand celle-ci fut descendue à proximité de lui, il entama une courte danse pour se rapprocher encore d'elle, puis il tâtonna en sa direction et, l'ayant frôlée, il l'empoigna sans lui laisser le loisir de s'échapper et il se fondit à elle, disant les prières qu'on dit lorsqu'on possède sexuellement une créature étrangère et de nouveau prononçant le nom des princesses dans les rêves de qui il désirait se rendre, et, quand il se fut substitué à la nuit, il commença à rouler de-ci, de-là, semblable à une boule noire mais sans substance et prenant peu à peu assurance et force, au point qu'il n'hésitait plus à tirer sur le tissu des espaces interstellaires et à le déchirer pour dans les déchirures puiser de la matière noire qu'il engrangeait dans des coffres et sous son crâne en vue de ne pas manquer de vivres pendant son voyage, car il se souvenait de plusieurs occasions antérieures où les nourritures de cette sorte lui avaient fait défaut, l'obligeant à périr de façon inopinée et le retardant à chaque reprise de douze fois douze mille ans, périodes qu'il avait peu appréciées, car au lieu de les mettre à profit pour améliorer sa science il avait dû cheminer interminablement vers sa résurrection et préparer sa renaissance dans des conditions d'improvisation pénible, et qu'il souhaitait ne plus connaître, non qu'il eût dégoût de rester sans vie douze fois douze mille ans, mais parce qu'il estimait que pendant de pareils gouffres de temps ses filles et ses épouses se morfondaient de ne pas le voir paraître au bout de la route ou même au profond de leurs songes, et c'était à elles avant tout qu'il pensait durant son cheminement, à ses princesses, à ses envoûtantes princesses que par don d'ubiquité il visitait follement et à toute heure, souvent à des heures coïncidentes, à ses ravissantes et merveilleuses, et en effet lors de ces mortelles absences où il errait à pied dans l'espace noir, sans souffle et sans sommeil et sans compter les millénaires, il devait renoncer à toute communication avec l'extérieur, à toute possibilité de rire et de deviser en compagnie et à tout transport à l'intérieur de quelque femme que ce fût, éclopée ou non, et ce quelle que pût être la violence de sa nostalgie d'en terminer avec la solitude, et d'ailleurs il en arrivait, au tournant des quelques premières dizaines de siècles, à confondre ses princesses, à ne plus mettre de noms sur les femmes pour lesquelles il éprouvait encore de la passion ou qu'il avait aimées, et à substituer l'une à l'autre, comme si à la fin filles et épouses devenaient interchangeables, et, sa mémoire peu à peu s'effritant, il perdait usage de la parole, errant toujours furieusement vers l'avant mais sans mots, marchant toujours avec obstination vers l'avant, vers la renaissance, et surtout assailli d'images dont il ne savait plus dans les rêves de quelle épouse ou de quelle fille perdues il les avait déjà parcourues, et souffrant fort de cette ignorance, souffrant fort et s'affligeant tandis que s'écoulaient ces incompressibles douze fois douze mille années, laps vains selon ses valeurs personnelles et ses calendriers mais quand même fâcheux, aussi, lorsqu'il eut fait provision de suffisantes matières noires puisées à même les abîmes et les voûtes célestes et assimilées, et qu'il eut roulé en diverses directions comme une boule sans consistance, il fut pris d'un ricanement de maître, se laissant aller peut-être au vertige de celui qui administre éléments et ténébreux flux et reflux, puis il se domina et recommença plus humblement à scander les nombres par lesquels on invoque et on énumère les constellations connues et inconnues, et, tandis que sa voix déroulait les étoiles comme un drap noir piqueté de pierres scintillantes, il y eut derrière lui un remue-ménage qu'il décida de ne pas interpréter, car il en soupçonnait le caractère défavorable et porteur d'hostilité, et il attendit, il attendit d'abord que montât autour de lui une obscurité épaisse, puis

# Table

**Lutz Bassmann**

*Haïkus de prison*, haïkus, Verdier, 2008
*Avec les moines-soldats*, entrevoûtes, Verdier, 2008
*Les aigles puent*, roman, Verdier, 2010
*Danse avec Nathan Golshem*, Verdier, 2012
*Black village*, Verdier, 2017

**Manuela Draeger**

*Pendant la boule bleue*, L'École des loisirs, 2002
*Au nord des gloutons*, L'École des loisirs, 2002
*Nos bébés-pélicans*, L'École des loisirs, 2003
*Le deuxième Mickey*, L'École des loisirs, 2003
*La course au kwak*, L'École des loisirs, 2004
*L'arrestation de la grande Mimille*,
L'École des loisirs, 2007
*Belle-Méduse*, L'École des loisirs, 2008
*Un œuf dans la foule*, L'École des loisirs, 2009
*Le radeau de la sardine*, L'École des loisirs, 2009
*Cinq rêves de suie*, Éditions de l'Olivier, 2010
*La nuit des mis bémols*, L'École des loisirs, 2011
*Herbes et golems*, Éditions de l'Olivier, 2012
*Moi les mammouths*, L'École des loisirs, 2015

**Elli Kronauer**

*Ilia Mouromietz et le rossignol brigand*, bylines,
L'École des loisirs, 1999
*Aliocha Popovitch et la rivière Saphrate*, bylines,
L'École des loisirs, 2000
*Soukmane fils de Soukmane et les fleurs écarlates*, bylines,
L'École des loisirs, 2000
*Sadko et le tsar de toutes les mers océanes*, bylines,
L'École des loisirs, 2000
*Mikhaïlo Potyk et Mariya la très-blanche mouette*, byline, L'École
des loisirs, 2001

**Antoine Volodine**

*Biographie comparée de Jorian Murgrave*, roman,
Denoël, 1985
*Un navire de nulle part*, roman, Denoël, 1986
*Rituel du mépris*, roman, Denoël, 1986
*Des enfers fabuleux*, roman, Denoël, 1988
*Lisbonne, dernière marge*, roman, Minuit, 1990
et coll. « Double » 101, 2015
*Alto solo*, roman, Minuit, 1991
*Le nom des singes*, roman, Minuit, 1994
*Le port intérieur*, roman, Minuit, 1996
et coll. « Double » n° 68, 2010
*Nuit blanche en Balkhyrie*, roman, Gallimard, 1997
*Vue sur l'ossuaire*, românce, Gallimard, 1998
*Le post-exotisme en dix leçons, leçon onze*, leçon,
Gallimard, 1998
*Des anges mineurs*, narrats,
Seuil, 1999 – Prix Wepler 1999, Prix du Livre Inter 2000
et « Points » n° P918, 2001
*Dondog*, roman, Seuil, 2002 et « Points » n° P1129, 2003
*Bardo or not bardo*, roman, Seuil, 2004
et « Points » P1397, 2005
*Nos animaux préférés*, entrevoûtes, Seuil, 2006
*Songes de Mevlido*, roman, Seuil, 2007
et « Points » n° P4024, 2015
*Macau*, roman, Seuil, 2009, avec des photographies d'Olivier Aubert, Prix Écrire la ville 2017 et « Points » n° P4712, 2018
*Écrivains*, roman, Seuil, 2010
*Terminus radieux*, roman,
Seuil, 2014 – Prix Médicis 2014 et « Points »
n° P4140, 2015

RÉALISATION : NORD COMPO À VILLENEUVE-D'ASCQ
IMPRESSION : CPI FRANCE
DÉPÔT LÉGAL : MARS 2020. N° 142471 (3037281)
IMPRIMÉ EN FRANCE